JN062410

北東アジア総合研究所の新春講演での川西重忠

凡例

一般財団法人アジア・ユーラシア総合研究所の略表示は、アユ研に統一した。

年号の表示は、一九六五（昭和四〇）年、または昭和四一（一九六五）年とした。

寄稿文にあった「故川西重忠を偲ぶ」の場合は、故を割愛した。

肩書は、目次には現在の肩書を一つのみとして、二つ目以上は本文の文末にかっこ内に表示した。

寄稿にあった文末の「合掌」「執筆日付」は原則として割愛した。

執筆者の掲載順は、「論説」を除いて「五十音順」を原則とした。

各章に配置された執筆者の区分けは、①川西と執筆者の関係性、②執筆者の属性を基準とした。

弔意文は、川西夫人に寄せられた書簡を本人の承諾を得て掲載した。

現代日本社会に問う

躍動する教育者

―― 川西重忠追想 ――

序文

元早稲田大学総長　西原　春夫

名鐘の余韻のように、没後もその面影が嫋々と残る人はそう多くない。私たちが「川西さん」あるいは「川西先生」と呼んで親しんだ川西重忠がこれに当たることは、彼の周辺で何十年あるいは何年かを過ごした人々にとっては異論のないところであろう。

彼は二〇一九年十二月三日、永遠に私たちのもとを去ったが、翌年早々から新型コロナ禍が進行したこともあり、追悼会も開かれないまま今日に至った。何となく、お別れが済んでいないという気持ちが残ったままになっていたのである。

幸い今年に入り、近しい方々の間で追悼集を作ろうとの計画が持ち上がり、編集委員会が設立された。とくに宇佐見義尚編集委員会代表をはじめとする実務担当の方々の大変な御努力のお蔭で、八〇人を超える方々の玉稿を戴くことができ、発刊の日を迎えることとなった。ここに、御寄稿下さった方々、とりわけ宇佐見代表をはじめとする編集委員会の方々に心から感謝申し上げたい。

書名は「現代日本社会に問う——川西重忠追想」となった。川西重忠への追悼、追想が、おのずと川西自身の実践した事跡を各方面から明らかにする結果となり、それが実践の動機となった彼の現代日本社会への憂慮の念を示す形となった、その経緯が、「現代日本社会に問う」という、ギクリとするような書名に表れている。彼の思想や世界観や感性を結果として総括した本書の性格を見事に反映したよい書名だったと思う。

本書の寄稿文は大きく分けて二つの部分からなっている。第一は「論説」、第二は「追想」である。追想を寄せられた方の所属する組織がいかに多様、多彩なものであったかは、目次をご覧になるとすぐに気づかれるであろう。私自身も改めてそれを痛感させられた。彼の交友そのものの多様さ、多彩さを物語っていると言えよう。

本書には、こうした寄稿文のほかに、「年譜・業績リスト」「新聞評」「書籍広告」などの資料が添えられている。彼の業績を客観的な記録として後世に残すことができ、大変素晴らしいことであった。

日ごろ彼と交わした会話の内容や、本書で紹介された彼の業績から推察される彼の「現代日本社会への懸念」をいささか誇張して表現するならば、「現代日本社会、なかんずく若者の教養の欠如」「平和と秩序破壊への懸念」だったのではないかと私は考えている。

第一の点として、彼は私にしばしば、例えば政治家は本来哲学や歴史観、人間観を背後に持つべきなのに、現代の政治家にいかにそれが欠如しているかを嘆いて語っていた。彼はその根源を戦後日本の教育制度にあると見、民間としてそれを補充する必要を説いていた。

行動力のある彼は、いつもただ憂いているにとどまらず、行動に移す。二〇一七年、多くの有識者に読書の必要性を訴えさせ、自身の愛読書を推薦させた彼編著の「読書のすすめ」（桜美林大学北東アジア総合研究所）を出版し、翌二〇一八年にその増補改訂版「生涯読書のすすめ」（アジア・ユーラシア総合研究所）を発行したのは、民間の立場からの思想の実践にほかならなかった。

さらに彼が周辺の方々の憂慮をよそにして名著の出版、複刻に努力したのも、その表れと見てよいだろう。河合栄治郎、賀川豊彦、中嶋峰雄など、選書には彼なりの好みが表れていたが、若き日に自らに影響を与えた書物を今の若者にも読ませたいという意欲が満ち溢れていた。

第二の「平和と秩序破壊への懸念」は、彼の没後ますます増大する傾向にある。そのような時だからこそ、残された私たちは彼が「北東アジア総合研究所」「アジア・ユーラシア総合研究所」を設立し、実現しようとした志を想起し、その実現に努力しなければならないと思う。

彼が今生きていたら、「民主主義か専制主義か」の対立をあえて鮮明にしたり、特定国を前提として包囲網を作ろうとしたりしている現在の国際社会の動向をきっと懸念したであろう。

どちらかと言えば私が主唱し彼が同意した考えだが、もしある特定国が国際社会から見て望ましくない政策を展開した場合、国際社会はこれを批判し、非難する態度に出る。それも必要かもしれない。

しかしその特定国は歴史を背景とした独自の政治思想に基づいてその政策を採択しているのだから、おいそれと批判に従うことはない。むしろ反発し、ますます固執することにもなりかねない。もし国際社会が武力をもって包囲しようとしたら、当該国はそれに対抗するためますます武力を増強させる結果になりやすい。

それではどうするか。私たちは考える。むしろ逆にその特定国の持つ力量を評価し、立派な国になる力量を持っていると褒め上げる方がいい。心を込めてそれを説く。その結果として、「立派な国になるためには、国際社会から非難されるようなことは避けなければならない」と自ら気づき、回避のための努力をするようになれば、これに過ぎる方策はない。「改めろ」というのと、「改めなければならないと自ら気づかせる」のどちらが当該国にとって気持ちよいか、答えは自明だろう。

これはいかにも川西重忠らしい思想ではないだろうか。彼が愛した日本らしい、アジアらしい方策ではないだろうか。私はいま現にそれを実践している。「西原先生、すごいですねえ」。

私の念頭には、いつも彼の笑顔がある。

現代日本社会に問う　——躍動する教育者 川西重忠　追想——

目　次

追想

企業・財界・三洋電機時代

桜美林大学

論説

川西重忠の時代認識とその実践
――著作の断片からうかがい知る――

編集・解題　宇佐見　義尚（板垣與一記念館）

二〇一九年（Xデイまで一三七日）――忘れられた偉人の復活

「一般財団法人アジア・ユーラシア総合研究所」の知的資産、人的資産を引き継ぎ、研究所の設立理念である「絶対価値の確立」「人格の完成」「道徳倫理の実践」を旗印に講演活動と出版活動を通じた社会貢献事業に取り組み、人材育成と文化の継承を図ってきた。今期の成果が『河合栄治郎著作選集』の企画刊行であった。「アジア・ユーラシア総合研究所」（以後アユ研と略称）は二〇一七年四月の創立であるが、創立時に私は役員会で次のように説明した。

「当研究所は単に収支を求めるという他の民間企業や法人組織と違い、文化と歴史の承継を図り、近代日本の社会歴史に大きな影響を与え、思想文化に貢献した思想家、教育家、企業人で、今の時代に忘れ去られようとしている偉人に対しフォーカスを当て、毎期通年計画でその代表的著作選集の復刊を企画発行したい」と訴えた。

創立初年度の当研究所の特別出版プロジェクトとして日本労働運動、生協運動、農協運動の創始者で、キリスト教伝道者、教育者、文筆家の賀川豊彦の主要著作を網羅した『賀川豊彦著作選集 全五巻』の発行に踏み切った。

戦前戦後の欧米において「ドイツのシュヴァイツアー、インドのガンジー、日本のカガワ」と呼ばれ、現代世界の三大偉人とまで称賛され三度もノーベル賞候補に挙げられた日本の賀川は、一方では代表作『死線を越えて』は累計販売部数四〇〇万部という大ベストセラーの作家でもあった。しかしいつしか賀川の名前を聞くことはなくなり、全国の書店においても賀川の主要著作は入手できない状況が続く。「賀川豊彦」の存在を日本の歴史から抹消してはならないという利益を度外視した使命感と熱い情熱から出発した出版プロジェクトであった。

今回の『河合栄治郎著作選集』全五巻の発行も、基本的に研究所設立の活動理念を踏襲している。

幸いにも、河合栄治郎の名前は、最近マスコミ上でも取り上げられるようになった。しかし、河合栄治郎は賀川豊彦と同様に、戦後の経済復興の躍進と共に急速に忘れ去られてきた。

河合の生前の活躍を知る戦中、戦前に教育家、思想家として論壇を席巻した河合の復権を私たちは待ち望んできた。今回の「河合著作選集」には、思想家としての教育者としての河合、人間としての河合の本質、エキスがたっぷりと詰まっている。思えば五〇年ぶりの河合全集に続く纏まった河合著作選集なのである。

（「特別寄稿『河合栄治郎著作選集』完結によせて」『週刊読書人』、第三二九八号、二〇一九年七月十九日）

二〇一八年――「絶対価値」の創造

まず、「アジア・ユーラシア総合研究所」では、日本で忘れられつつある人物を取り上げて、五冊ほどのシリーズとして出版化するプロジェクトを毎年立ち上げています。というのもかつて政治や思想の分野で大きな影響を与えた人たちが現在において忘れられていく状況を見ていく中で、このままでよいのかと、日本の文化を承継していく必要があると感じたからです。今年の一月に我々の研究所は『賀川豊彦著作選集』を刊行しております。

賀川豊彦も日本を代表する世界的な偉人であるにもかかわらず、今では忘れ去られていた作家、社会運動家であったので、その流れを本のかたちで引き留めようとしました。だからこのたびの河合栄治郎も狙いとしては同じなんです。河合も一般的にポピュラーな研究者、教育者とは言えません。それはなぜかと考えてみると、現代において河合の本が出なくなったからではないでしょうか。前身の「桜美林大学北東アジア総合研究所」のときからこれまで河合の本を数点復刻してきましたが、彼のような立派な人物の思想がここで切れるのも惜しいと考え、今回河合栄治郎の代表的な著作を単発ではなく五冊のシリーズで出すことになりました。そして彼らを取り上げる背景には私たち研究所の理念も大きく関わっています。

（中略）

「アジア・ユーラシア総合研究所の理念」は、前身の「桜美林大学北東アジア総合研究所」から続く理念であり、大きく二つ挙げることができます。一つは「絶対価値」というものを確立していくこと。どういうものかというと、たとえば道徳の尊厳であるとか、人格の完成を指していきます。これは大変難しい問題ではあるけれど、どうにか実現していきたいと考えています。もう一つは若者の人材育成です。賀川豊彦にしても河合栄治郎にしても、そうした理念を体現して著書や言葉によって訴え続けてきた人物であり、「絶対価値」と私が言った世界を求め続けてきた社会運動家・社会思想家です。この二人には、共通の土台が存在しています。ただ、それぞれの著作をすべて読むのは大変なことですよね。賀川と同様、『河合栄治郎全集』は半世紀前に社会思想社から出ており、別巻の伝記まで入れると全二四巻もあります。それを今の読者に全部読めと言ってもそれほど意味があるとは思えません。だから、本を読んでもらいたい、そして河合の思想を知ってもらいたいという観点から、『学生に与う』を筆頭に河合の思想が特に詰まっている作品群を河合研究者が巻ごとに編集し直して出すことにしました。

（「図書新聞」第三三七三号、二〇一八年十一月三日、編集部のインタビュー）

二〇一八年――賀川豊彦・河合栄治郎の評価

賀川豊彦という存在が、今のままでは忘れられてしまうと危機感を抱いたことが最大の要因ですね。一九二〇年に発表した、彼の代表作『死線を越えて』は大正期最大のベストセラー。社会現象を起こすほどの作家ですよ。しかしいまはほとんど読まれていないし、知る人もいなくなった。ここに社会思想社から一九八九年に出た、賀川の『空中征服』の文庫本があります。その解説にも、現代ではほとんど知られていない人だと書いてある。だから八〇年代から既に忘れられていると言えます。

しかし、賀川豊彦は大変な人ですよ。例えば大宅壮一は、明治・大正・昭和を通じて、日本に大きな影響を与えた人物のベスト・スリーに入ると述べているほどです。夏目漱石や西郷隆盛らも確かに偉大ですが、彼らの活躍分野は政治や文学などに限られていた。しかし賀川に至っては、キリスト教活動、政治・社会運動、協同組合運動、文学や教育面での活躍など実に多岐にわたっている。大宅は、こんな人は日本史上いないと述べている。しかもノーベル平和賞候補に三回もノミネートされている。さらに二〇世紀における世界の三大聖人、シュヴァイツアー、ガンジー、そして賀川と呼ばれたこともある人です。にもかかわらず、忘れられてしまった。私はいま河合栄治郎の研究会もやっていますが、河合をよみがえらせるためには本が必要だと考えて、関連書籍の発行に尽力しています。今回、『賀川豊彦著作選集』を出そうと思ったのも同じ動機です。

(中略)

「アジア・ユーラシア総合研究所」にとって、最大のミッションは文化を継承すること、歴史を繋ぐということです。もちろん採算も重要ですが、それよりも継承が大事なことと考えています。これはビジネスというよりは哲学であり、使命といってもいいでしょう。賀川の業績を知れば知るほど、その思いは強くなりましたね。

（「図書新聞」第三三二六号、二〇一七年十一月十一日、編集部インタビュー）

二〇一八年――生涯読書

青少年時代の読書体験が、その人の人生に潤いを与え、人間形成と人間関係に大きな影響を与えるものであるということは、いつの時代でも変わらない真実として語り継がれてきた。

科学技術の進歩により即時性と利便性に優れた文明の利器スマホ万能の現代社会にあっても、この読書の持つ本質は変わらない、と私たちは考える。

今回発行の『生涯読書のすすめ』は、昨年二月に発行された『全国の青少年に贈る　読書のすすめ』の増補改訂版である。アジア・ユーラシア総合研究所に関係を有する有識者の方に読書体験について自由に書いて戴いた。

アジア・ユーラシア総合研究所が、昨年春に北東アジア総合研究所の文化遺産を引き継ぎ活動を始めて間もなく一年となる。本書は新規研究所での十二冊目の刊行物に当たる。

企画と編集には、いつもながら河合栄治郎研究会の協力を得た。同研究会は、「人格の完成」、「人格の成長」を基本概念とする戦前の東京帝国大学教授、河合栄治郎の人と思想に共鳴する有志的結合の研究会である。年々、共鳴者も増え、一昨年の二〇一六年度は、全国の四大学（桜美林大学川西ゼミ、亜細亜大学宇佐見ゼミ、日本大学高久保ゼミ、沖縄国際大学柴田ゼミ）の四ゼミがこぞって河合の『学生に与う』をテキストとしてゼミ生の感想文を収録して出版化するという大学教育界でも前代未聞のプロジェクトを成功させた。

今回の『生涯読書のすすめ』は一般読書人、とりわけ青少年に読んでいただきたい。

（『生涯読書のすすめ』アジア・ユーラシア総合研究所、二〇一八年、二一一－二一二ページ。）

二〇一七年――読書離れが進む時代

文化を継承してゆく立場の大学生の読書離れは顕著である。この傾向は社会教育構造の変化やＳＮＳの普及とも連動しているため、弱まるどころか、さらに加速する傾向が強い。

桜美林大学北東アジア総合研究所では、河合栄治郎研究会と連携し、毎年二月に学生生活に関する著書を発行してきた。累計で六冊を数えるシリーズである。

「人格の成長」を基本概念とした河合の理想主義哲学は、読書を人格形成の中核と位置づける。読書の衰退は文化力の衰退と考える私たちは、今回、趣旨に共感する研究会の有志と有識者の力を借りて本書『全国の青少年と学生に贈る　読書のすすめ』の出版にこぎつけた。

（中略）

読書離れが進む時代に、「読書のすすめ」の本書が出版されること自体に意義があるともいえましょう。どのように科学技術が進もうとも、企業社会の組織化が進もうとも、また社会生活が変わろうとも、行き着く先は人であり、大事なものは教育であり、人格であることを改めて想起したい。

全国の青少年と学生諸君！　よき師、よき友、よき書とのよき縁と出会いがありますように・・・。

（『読書のすすめ』桜美林大学北東アジア総合研究所、二〇一七年、六-八ページ。）

二〇一七年――国際交流、肥沼信次の顕彰

このたび八王子市は市制創立一〇〇周年を祝して海外交流都市としてドイツウリーツェン市を選定し、一〇月一日に交流都市協定が結ばれることになった。

来賓としてドイツウリーツェン市からジーベルト市長が出席されると聞いている。両市の交流都市協定は、八王子市民の長年にわたる草の根運動が発端となり、今回の提携に至った点に大きな特徴がみられる。官民一体で成し遂げた国際交流活動の見事な成果であるといえよう。

この八王子市民の活動の推進母体は「ドクター肥沼の功績を後世に残す会」（塚本回子会長）であり、八王子に生まれた医師肥沼信次の功績と精神を後世に残すことを根本理念としたNPO法人である。この会の主要メンバー一行は既に「ドイツにおけるドイツ年二〇〇五年」の二〇〇五年にはウリーツェン市を訪問し、肥沼信次の墓参もしている。近年、同会はますます広く活発な活動を展開し、新聞、テレビでの活躍は記憶に新しいところである。市民団体の理念と思いと活動が八王子市行政の支援を得て、ついに今回の国際交流提携の実現まで辿りついたことは、国際交流の歴史の中でも稀有の事であろう。

まことに息の長い活動を続けてきたものと慶賀に堪えない。

本書は、これらの肥沼信次顕彰運動にいささかなりの縁と関係を有する筆者が今までに書き溜めた原稿の中から取捨選択をし、新たに数編を書き加えて編集再録したものである。今少しの時間、せめてのあと半月の時間があれば、もっと良いものができたのであろうが、現在の私にはそのような時間的余裕がなく、このような内容での出版の運びとなった。内心忸怩たる思いが残るものの、肥沼をこのような小著であれ、伝えることのできる喜びも共存している。

本書は、肥沼の評伝でもなければ、また単なる市民団体の活動紹介でもない。八王子に生まれ、憧れのドイツの地で自らの命と引き換えに多くのドイツ人の命を救った肥沼信次の精神が、七〇年の時空を経て両市の市民と肥沼の関係者によって現代に生き続けていることを紹介できれば、私の本懐は遂げられる。

今の日本に、今後一層国際化の進む日本に肥沼信次の精神が人々に多くの啓示と大きな勇気を与え更に継承されることを祈念してまえがきに代えたい。

(『日独を繋ぐ　肥沼信次の精神と国際交流』アジア・ユーラシア総合研究所、二〇一七年、八―一〇ページ。)

二〇一六年――日本の教育史上でも稀有な一冊

それでも今の時期にこのような「人格の完成」を以て至高とする教育思想に共鳴する複数の大学ゼミが、一冊の共通の本を巡って出版までたどりついたことは日本の教育史上でも稀有な出来事であろう。現代に生きる学生達が河合思想を受容しそれを継承してゆこうとする心意気は十分に伝わってくるであろう。大学教育の在り方と人間の在り方の根本が同時に問われている現代に、若い全国のゼミ学生たちの手になるこのような書が出たこと自体に意味があると私は思う。全国の青年学徒へ の激励のエールとしてこのささやかな新書を謹んで世に送りだしたい。

(『「学生に与う」と現代の学生たち』桜美林大学北東アジア総合研究所、二〇一六年、七ページ。)

二〇一五年――大学で教える立場に立つ者

大学で教える立場に立つ者は、二〇歳前後の人生の分岐点に立つ学生達にどのように接すればよいのかは、実に大きな切実な問題である。なぜならばそれは教師一個人の問題ではなく、学生たちと講義やゼミ生とのコミュニケーションを通じて専門知識の伝達のみならず、全人的な啓発へと繋がるからである。さらに大事なことは、この時期の学びと出会いによって形成される人生観が、それ以後のその学生の一生を支配するからである。

（『新・現代の学生に贈る』桜美林大学アジア総合研究所、二〇一五年、二七三－七四ページ。）

二〇一三年――人間本位の中道的改革

一九八九年十一月九日のベルリンの壁の崩壊により、東西冷戦の時代が終わり、急速にグローバル化が進展し、政治、経済、社会面いずれの面でも既存の伝統と秩序が失われ、混沌とした閉塞感と不安が漂う中、いま河合栄治郎の存在が、再び注目を集めている。

先の選挙で、民主党から自民党へと政権の大転換が起こり、右傾化が叫ばれる昨今、河合が唱導した中道左派の穏健な自由主義的思想が見直される機運が各界に見受けられる。国際関係においては、中国、韓国、ロシアとの国境領土問題と歴史認識問題、内外における安全保障問題、東北大震災と原子力問題が現実の社会問題として提起されている。教育関係においては、社会構造の変化からくる教育制度が、喫緊の教育社会問題として大学関係者のみならず国民全ての上にいま問われている。このようなときだからこそ、河合の左右いずれにも偏らない人間本位の中道的改革の考えと切所において示した河合の剛気で毅然とした生き方が共感を呼ぶのであろう。

（『断固たる精神　河合栄治郎』桜美林大学北東アジア総合研究所、二〇一三年、四ページ。）

二〇一三年――リベラルアーツの真の意味

現代のように政治と世相が混迷し変化が絶えない時代には、河合教授の精神的な強さと前向きな明るさ、そして体系的論理的な明晰な思想と指針が若い青年学徒に求められているのではなかろうか。目下の教育界で話題になっているリベラルアーツの真の意味も河合の教養観の中に読み取れると私は思う。

（『現代版　続・現代の学生に贈る』桜美林大学北東アジア総合研究所、二〇一三年、三一九－三二〇ページ。）

二〇一一年——日中関係学会

二〇一〇年夏以降の日中関係は最悪といってよい状況である。中国に対する好感度は二〇パーセント台とかつてない落ち込みかたとなっている。食も問題と領土の問題は人の命とナショナリズムに直接訴えかけるものであり、いちど問題化すると簡単には元には戻らない。

しかしこのような時こそ、民間における不断の日中交流が大事である。私どもの日中関係学会は二〇一〇年度は例年以上の相互の交流往来を行った。当学会のカウンターパートナーである中日関係史学会とは毎年交互に会員を派遣しているが、昨年度は合同で杭州で研究交流会を開催するとともに、帰途には上海万博を一二名全員で見学した。

（中略）

上海万博は日本以外ではアジアで初めて、新興発展途上国で初めて開催された万博であった。前評判も高く、国際世界を意識して世界に中国を発信した万博であった。

（中略）

日中関係学会も二〇周年を迎えるに当たり、二〇一〇年一〇月より宮本雄二前駐中国大使を新会長に迎えてスタートを切ったばかりである。新生学会の意気に燃え、滑り出しは順調である。日中関係学会としてもこのような時だからこそ、宮本会長の指導のもとで大いに発言し発信してゆきたい。藤村幸義事務総括副会長の陣頭指揮により運営も事務局メンバーも大幅に刷新された。今後の学会の発展を心からお祈りし見守りたい。

（『上海万博と中国のゆくえ』桜美林大学北東アジア総合研究所、二〇一一年、二四一－二四三ページ。）

二〇〇八年――日露戦争百年目の発見

このたび、ふとした偶然からベルギーの古書店で発見した一〇〇年前のフランス語新聞「ル・プチ・パリジェン」により、いかに日露戦争が当時のヨーロッパにおいても人々の話題の中心であったかが証明された。乃木と東郷が、その当時の全世界の偉人であったことを実感させる情報である。「ル・プチ・パリジェン」紙は、この日曜版特集イラストのせいか、見る見る部数を伸ばし短期間でヨーロッパ第一の部数を誇るほどの成長を遂げている。発見した新聞イラスト画は一〇〇年前と思えぬほど色彩も鮮明で、当時の日露の戦いの情景がひしひしと伝わってくる。日露戦争一〇〇年の節目にご紹介できる幸いに感謝する。

産経新聞の住田社長と、河合栄治郎の思想研究をかつて共にしていた縁から、会談時にたまたま持っていたフランス語新聞をお見せしたことを機縁に事態は急展開した。一週間後に新聞紙上の第一面に紹介され、次に今回執筆していただいた人たちとの「北東アジアにおける司馬遼太郎と日露戦争」シンポジウムの企画開催となり、最後にはこのような単行本になって結実することとなった。思えば、人の縁は不思議な輪廻を描くものである。これも司馬遼太郎大好き人間の余徳であろうか。

（『司馬遼太郎と日ロ戦争』桜美林大学北東アジア総合研究所、二〇〇八年、九－一〇ページ。）

二〇〇四年――「月曜座談」（ベルリン自由大学）

最近のベルリン自由大学はベルリン市の方針でフンボルト大学との統合が現実の問題として話題になっている。市の財政困難の理由から一方のフンボルト大学でも日本学部の統廃合と、日本学部が管理運営する日本人に馴染みが深い「森鴎外記念館」の閉館が噂されている。ちなみにドイツでは教育は州の専管事項で大学は基本的に全て国立（州立）である。

ドイツにあってもベルリンは東西の交差点として特異な地位を有している。一九六一年八月一三日に「ベルリンの壁」が突然築かれ、二八年間東西冷戦の象徴とされてきた。今世紀中には開かれることは無いだろうと思われていたこの八九年十一月九日の「ベルリンの壁」の崩壊と開放はそのまま東欧、ソ連邦の共産主義体制の崩壊と市場経済への開放へとつながってゆく。

冷戦時、共産圏の陸の孤島として存在したベルリンは、今ではドイツ連邦の首都として政治的、国際都市へと変貌を遂げつつある。大学生数では四つの総合大学を中心にドイツ最多の一五万人の学生が学び、世界から留学生、就学生、労働者が集まる若い都市へと脱皮を図っている。

（中略）

ベルリン自由大学で開催した「月曜座談」は東アジア研究所の日本学部の学生を対象に、日本企業と日本の文化・社会制度の実際を身近に知ってもらう意図で始めたものであるが、この種のものとしては予想外とも思える成功を収めた。

講師には、主として欧州地域の一線で活躍中の現地日系企業責任者を外部講師としてお招きし、専門分野の講義と学生とのフランクな質疑応答を八〇分の時間内でお願いした。

時には自由大学の招請教授にも必要に応じて発表して戴いた。いずれの講義も教師と学生が一体になった内容の濃い出来栄えであった。

（中略）

この講座はベルリン自由大学初の学際的な試みとして、また産学共同の新しい試みとして、ベルリン自由大学の歴史の一こまを飾る意義ある活動であったように思う。私にとっても、三年半のドイツでの研究生活と学生たちとの交流生活で最も思い出に残る楽しいひとこまとなった。

（『EUの中の日本の企業と文化』株式会社エルコ、二〇〇四年、八－九ページ。）

二〇〇二年――川西の処女作出版

中国の変化は一〇年大昔、一年一昔といわれるほど急ピッチである。大都市の北京、上海のみならず、内陸の宜昌でも中国の縮図を見る思いがする。

中国の存在感はますます増大の傾向にある。時々刻々と千変万化する中国をどのように見て、判断するかが世界で等しく求められている。

中国を見る視点は、経済面、政治面、安全保障面、文学・文化面、社会面からといろいろあるが、中国の持つ多面性と奥行きの深さのせいもあり、中国を体系的に捉えることは極めてむずかしい仕事である。

私は産業人として長く中国ビジネスに携わりつつ、中国文化の奥深さに魅了された者の一人である。中国を経済と文化の両面から読み解く作業をいつの頃からか始めていた。それは民間企業の一ビジネスマンにとって、蟷螂の斧にも似た試みであった。さいわい三年前に会社を離れ、ドイツで研究生活を始めるようになり、その試みを深めることができるようになった。

（『中国の経済文化　日本とEUからの複眼で見る』株式会社エルコ、二〇〇二年、二一 – 三ページ。）

解題に代えて

川西の業績は、もちろん、これに尽きるものではない。掘り起こせば、おそらく、これに数百倍に余りある業績があるに違いないのである。ここに紹介したものは二〇〇二年から急逝する二〇一九年十二月のおよそ五カ月前の七月十九日に図書新聞に寄稿したものを起点に二〇〇二年まで遡って、川西の著作、寄稿文、新聞インタビューから、編集者が恣意的に抜粋したものである。抜粋の出所ページは、原則として「序文」「まえがき」「あとがき」の中からの抜粋である。なぜ、これらの文章をあえて抜粋したのか。抜粋の基準は、対象資料が出された年に、川西が何を感じ、何を考え、何を行動・実践・発信しようとしたのか。それを知る手がかりを探ることを企図しての抜粋である。尚、本文及び小見出のタイトルは編集者によるものである。

川西が遺した文献資料は、アジア・ユーラシア総合研究所（桜美林大学千駄ヶ谷キャンパス内）、および川西重忠文献資料室（板垣與一記念館内・群馬県安中市）に保存管理されて現在整理中である。いずれ、川西重忠に関する研究者のために役に立つ文献資料リストが作成公表されるはずである。

これからの日本は、如何にあるべきか

（一財）アジア・ユーラシア総合研究所代表理事／所長　谷口　誠

戦後の日本は、国民の結足した努力により立ち上がり、一九六四年には、東京オリンピックを開催し、アジア唯一の先進国としてＯＥＣＤ参加することが出来ました。そのお陰で私はＯＥＣＤの初代の事務次長として七年間務めることが出来ました。

しかし、その後の日本は、その地位に満足し、改革を怠り、世界の変化に対応出来なくなりつつあります。

確かに戦後の日本の経済復興は素晴らしいものがありました。当時の代表的エコノミストであった大来左武郎、都留重人、大原総一郎、脇村儀太郎達が中心となって、戦後の復興計画を作成していた。当時まだ若く外務省に入ったばかりの私も軽井沢での彼らの会議を傍聴させて頂き、心が高揚したのをおぼえています。その当時の日本のエコノミストの中には、このまま日本経済成長が続けば、日本のＧＮＰは、米国のＧＮＰを追い越すのでは、と議論するエコノミストもいました。しかし、これは思い上がりも激しいもので、国土が大きく、資源の豊富な米国と小さな島国の日本は比較すべくもないと思います。

確かに戦後の日本の経済發展には素晴らしいものがありました。しかし、急速な経済発展は永久に続くものではなく、徐々に低下するのが、自然の習わしです。卒直にいって日本は戦後の発展に安住して、その後の改革を怠って来たきらいがあります。

その間、アジアの中国、インド、インドネシアなどの人口大国が発展し、日本一強時代は終わり、中国一強時代に変わりました。最近のOECDの未来予測では、二〇六〇年には、GNPの規模では、中国、インド、インドネシアなどが、米国、に伍して大国化することになる。そして日本、英国、フランス、ドイツなどは中進国となる。

その場合、日本はどのような国家を目指すべきであろうか。

米国の有名な投資家で知られるJim Rogersは、一九八六年に世界第二位の経済大国になって日本は、五十年以上の長きにわたって繁栄してきたが、現在日本が直面している人口減少と日本が抱えている多額の借金の問題と人口減少の重要問題に目を背けているため、二、三十年後には大変な問題になると予告している。

私も日本がこのまま何の手も打たず行くならば、日本は衰退の一路をたどる危険性があると危機感を感じています。したがって、私は日本再生のために、次の具体的問題提起を致します。

1　アジアの唯一の先進国だとのエリート意識をすて、躍進するアジアの一国として、アジアとの共存、共栄をはかること。

2　対米一辺倒の外交政策を多角化し、アジアのみならず、日本と同じくmiddle powerであるEU諸国、英国などとの交流をはかること。

3　日本の人口減少に歯止めをかけるため、有能な外国人、特にアジアの人材を導入し、少なくとも日本の人口を英国、フランス、ドイツ並みの五、六千万人に留めること。

現在の日本の人口減少率が続けば、日本の人口は二〇四〇年には一億人を切り、二一〇〇年には四千万人に減少する。日本は人材不足に悩み、五年後には三十四万人不足し、四十年後には三人に一人が高齢者になる。

4　大国化するアジアの中国、インド、インドネシアなどの抱える最大の問題は、人口問題と環境問題であり、この問題で多くの経験をしている先輩国である日本は、技術移転を行ない、協力すること

5　地震、津波、台風などの悲惨な経験をしている日本は、同じく自然災害に悩むアジア

諸国に無償による人材育成と技術移転をはかること。

以上の政治、経済、文化などの総合的外交政策をアジアのみならず、広く発展途上の国々に遂行することができれば、日本は大国にならなくても世界の各国から親しまれ、世界の各国と共生し、發展できると確信しています。

「奴雁（どがん）」の精神

政策研究大学院大学理事・客員教授　小島　明

世界中がCOVID-19と称するパンデミックに振り回されている。だが、それと折り重なる格好で時代の転換とも言える様々な構造転換が加速度をつけて進行している。ディスラプション（断絶、非連続な変化）、ゲームチェンジ、パラダイムシフト、大転換などといった言葉が盛んに飛び交う。過去の延長線上にない大きな潮流変化がいろいろなところで起こっている。

二〇二一年の一〇年前、二〇一一年には東日本大震災と福島原発事故がおきた。二〇年前の二〇〇一年には米国における同時多発テロが発生した。三〇年前の一九九一年にはソ連が自壊する格好で崩壊し、日本のバブル経済がはじけた。ソ連の崩壊で第二次大戦後の世界を規定した東西冷戦が終わりを告げた。その直後に出版されたフランシス・フクヤマの著作『歴史の終わり』は、米国型の民主主義政治と資本主義が勝利を得て、歴史の発展が頂点に達したと論じた。しかし、現実の歴史は複雑に、そして大きく変化し、歴史は変動し、かつ加速した。勝者となったとみられた民主主義政治も資本主義もポピュリズムの台頭、格差拡大、〝国家資本主義〟中国の急激な台頭などを背景に大きく揺らぎだした。

こうしたなかで肝心なのは、しっかりした歴史観であり、長期的な視点と基本を確認する姿勢だろう。ビジネス・ツー・ビジネスのB to Bではなく、Back to the Basics, つまり基本の確認ではないか。

インフォデミックという言葉を最近、耳にする。「情報の感染爆発」とでも訳したらいいのだろうか。ネットを通じておびただしい情報が流れる。その情報には正しいものと間違ったものが混在している。情報が確認されずに拡散し、マスク・バブルやトイレットペーパー買いだめなどが発生した。

情報には特に努力しなくても勝手に入ってくる「プッシュ型」情報と、こちらからとりにいかないと得られない「プル型」情報がある。前者にはネットを通じて入ってくるものやテレビ情報がある。後者は書籍、新聞、雑誌といった印刷媒体である。流れとしては、急速にプッシュ型の情報社会となってきており、その社会的な影響がどんどん大きくなっている。問題なのは、とりわけプッシュ型情報が、真実かそうでないか、正しいかそうでないかがあまり点検されることなく流され、拡散することである。しかも、ごく最近は、情報の受け手にとって情報が正しいか正しくないかへの関心が低下し、自分が共感する情報を真実と思い、共感できない情報はフェイクだとして排除する傾向が強まっている。いわゆるポスト真実の時代といわれるのが、これである。

情報の出し手が意図的に間違った情報を流すこともある。それは単純に間違った情報である「誤情報」とは異なり「虚偽情報」であり「悪意のある情報」である。このため、新しい情報リテラシーが必要であり、それなくして民主主義はうまく機能しない。

佐々木毅元東京大学学長は「多くの国で民主主義は、選挙原理主義に陥っている」と指摘する。それは選挙に当選することがすべてであり、選挙の洗礼を受けない学者、有識者、官僚などの声に耳を傾けない「反知性主義」である。政治家が自国中心主義に傾斜していると言われるが、よくみると「自国」でなく「自分の選挙」が中心の政治が横行しつつある。そんな政治に国民が嫌気を示し、投票率が五〇％に満たない選挙もある。地方選挙では30％程度しかない投票率も見うけられる。五割民主主義、三割民主主義である。そんな低い投票率で当選しても「正当性」があるのだろうか、とも思う。

民主主義も、自由市場経済も、それが合理的に機能するためには①誰もが平等に参加できる、②参加者は十分な情報にアクセスできる、③アクセスする情報が真実である——とが不可欠である。

そうした条件を生み出すために、だれもがもう少し、プル型情報を重視する必要がある。具体的には読書の勧めであり、とりわけ「古典」と呼ばれる書籍に接することである。最近の大学生はネット情報だけに関心を持ち、五〇％前後の学生がほとんど読書をしないとの調査結果もある。

川西先生は、学生の読書離れ、活字離れを大変憂慮していた。先生は、河合栄治郎関連の著作を刊行するとともに、学生向けに読書の手引き書『生涯読書のすすめ』（増補改訂版）を逝去される前年に刊行された。それには（一財）アジア・ユーラシア総合研究所に関係のある多くの方が寄稿された。

小生もその仲間に入れていただき、『ガリバー旅行記』が子供のためのおとぎ話ではなく、大人のためのウィットに富む一級の政治学書であることを紹介した。

川西先生は絶えず、物事に基本を重視してきた。

福沢諭吉が初めて言ったとされる「奴雁（どがん）」の話が興味深い。雁の群れが餌をついばんでいるとき、首を高く掲げて外敵に備える役をする雁が一羽いるが、それが奴雁である。福沢は「学者は奴雁になれ」と論じた。日本銀行の前川春雄元総裁も、日銀職員に「奴雁」となれと訴えていたという。

政治家も「奴雁」となるべきだ。「先憂後楽」は指導者の心構えを示したものである。つまり、指導者たるもの民より先に憂え、楽しむのは一番最後にする、という意味である。昨今は政治家の使命感も衰え、真っ先に楽しんでしまう者も少なくない。バブル経済崩壊後の日本は経済の長い停滞とデフレに苦しんだ。しかし、経済のデフレ以上に指導者の志、使命感のデフレが深刻な問題である。政治家が選挙原理主義を抜けだし、長期的な視点で政策を考えるようになって欲しい。いま、起きている多くのディスラプションは、現在および将来の社会が過去の延長線上にはないことを示しているからである。

川西先生はまさに奴雁の学者だった。使命感のデフレが懸念される今日の日本社会にとって、川西先生の志、奴雁の心意気を確認し、皆でその精神を引き継いでいきたい。

コロナ禍で思う三人の医師

ジャーナリスト　小山　芳郎

未知の「新型コロナウィルス」禍に遭遇して今、思うことは、地震・津波の天災と原発事故の人災との複合大災害「3・11」の時と同様の憂いだ。それは、原発については、「科学技術の進歩によりいずれ安全・安心」、感染症については、「医学の発達により感染症はいずれ制圧されるはず」といった科学を過信してきた人間の愚かさである。人間のあり方そのものが問われている今、感染症と正面から向き合い、その脅威から人間の命を守ろう、と決死の努力をしてきた医療の専門家たちがいたことを忘れてはいけない。後藤新平、野口英世、肥沼信次である。

後藤新平（1857〜1929）は、明治時代、日清戦争後、戦地から凱旋する多くの兵士に対してコレラ汚染を国内に持ち込まないように検疫事業を行い、感染防止に努めた。ドイツのロベルト・コッホ研究所に留学経験もあり内務省の衛生局長も歴任した彼は、陸軍次官児玉源太郎の指揮の下、三ヶ月で消毒した艦船六八七隻、帰還者二三万二千人の検疫、コレラ感染者三六九人を隔離し感染拡大を防止した。当時、日清戦争での犠牲者は、戦死者一四一七人に対して、コレラなどによる病死者の数は一万一八九四人といわれた。後藤の政治家、行政官（官僚を嫌った）としての功績は、植民地の近代経営（台湾、満州）、日本の鉄道計画、東京市の都市計画、関東大震災からの復興、防災計画など、多岐にわたるが、後藤の思想の基本には、「自分は全ての命を救う医師」という原点があった。それは、地球も国家も個人も一つの命を持つ生き物ととらえ、それぞれにそれぞれの生き方がある、という多様性に基づいた「生物学の原則」だ。そして、「政治も行政もその原則に基づいた「科学的調査」が大切であり、それぞれの命を守ることが政治家や行政官の役目だ」とも語っている。

感染症の研究を生涯のテーマとした野口英世（1876〜1928）は、言うまでもなく、黄熱病や梅毒の研究で功績を残し、ノーベル生理学・医学賞の候補に三度も名前が挙がった医師だ。当時、すでに世界的に有名な細菌学者として知られていた北里柴三郎博士の伝染病研究所に入所後、「病理学的細菌学的検究術式綱要」を発表。海港検疫医になり、初めてペスト患者を発見、アメリカのペンシルベニア大学など欧米の研究機関に留学し、梅毒スピロヘータの純粋培養に成功するなど、多くの実績を挙げた。しかし、南米やアフリカで流行していた黄熱病の病原菌の研究中に西アフリカの黄金海岸（現在のガーナ共和国）のアクラでその黄熱病で倒れ、五一歳の生涯を閉じた。息を引き取る前の最後の言葉は、「わたしには、わからない」だったという。野口が死去した昭和三年（一九二八年）五月二十一日の翌月、六月二九日、丸の内の日本工業倶楽部での追悼会の出席者が「後世に、科学者野口英世の業績と生涯を伝える」ため、「野口英世記念会」を創ることを決定。発起人には、北里柴三郎（日本医師会長）、山川健次郎（元東京帝大総長）、荒木寅三郎（京都帝大総長）とともに後藤新平も名前を連ねている。

多くの日本人が知っている後藤新平や野口英世に比べると、肥沼信次（こえぬまのぶつぐ）（1908〜1946）を知っている日本人は残念ながら僅かだろう。明治四十一年（一九〇八年）八王子中町生まれの肥沼は、府立二中（現立川高）を卒業後、昭和三年（一九二八年）野口英世の出身校でもある日本医科大学に入学。その後、東京帝国大学中泉研究室で放射線医学を研究した。アインシュタインとキュリー夫人を尊敬していた彼は、昭和十二年（一九三七年）憧れのドイツ・ベルリンのフンボルト大学に留学。昭和十七年（一九四二年）東洋人として　初の正教授資格を得る。しかし、肥沼の生活環境はヒトラー率いるナチスドイツの躍進とともに一変。敗戦必至とみた日本政府は三月にベルリンより日本人全員に帰国指示を出すが肥沼は帰国せず、終戦後の昭和二十年（一九四五年）九月、多くの難民で溢れ疫病が蔓延しているウリーツェンで伝染病医療センターの所長として、ただ一人でその診察と治療に当たった。七名の看護婦のうち五名は次々にチフスに感染して倒れるという最悪の状況の中、肥沼は獅子奮迅の献身的な働きをした。ウリーツェンの人達に予防接種を行い、難民の中に分け入って不眠不休で手当てをし続けたという。肥沼はこうしたなかで自身がチフスに感染して倒れたときでも自分には薬を処方せず、その医薬品を他の患者の救命のために与えた。そして、チフスの発症から三日後、多くの人々の命を救った肥沼は、帰らぬ人となった。昭和二十一年（一九四六年）三月八日。享年三七歳。最後の言葉は、「日本の桜が見たい」だったという。そして、今なお、ウリーツェンの現地の人々に感謝され、墓地には花が絶えることがないという。

平成一七年（二〇〇五年）、当時、ＮＨＫ文化センターの八王子支社長をしていた私は、桜美林大学教授の川西重忠氏から八王子市出身の医師・肥沼信次の話を聞いたとき、すぐに講座の依頼をした。講座のタイトルを相談していた時、二人の口からほぼ同時に出たのが、「〝八王子の野口英世〟ドクター・コエヌマを知っていますか？」だった。この講座は、ＮＨＫ文化センター八王子支社で四月に行い、翌五月、ＮＨＫラジオ第二放送の番組「文化講演会」で全国放送した。令和元年（二〇一九年）十二月三日に逝去した川西氏が、著書「日独を繋ぐ〝肥沼信次〟の精神と国際交流」のなかで、「いま思うに、もし、ＮＨＫ（文化センター）の八王子教室で、現在「肥沼を顕彰する会」の婦人たちが肥沼についての講義を聞いていなかったならば、また更にそれを聴講した塚原会長たち八王子のご婦人たちが翌年現地ウリーツェンを訪ねることがなかったならば、八王子市とウリーツェンの生徒間交流、民間交流は同じように始まり続いていたであろうか、姉妹都市提携まで辿りつくのに違った展開をしたのではなかろうかと考えると、歴史における物事の発端と人と人との出会い、相互交流の積み重ねによる人知を超えた不思議さに驚くばかりである」と述べている。当時、講座に受講生として参加していた八王子の主婦、塚本回子さんが中心となり、医師、肥沼信次の功績と精神を後世に残すことを理念としたボランティア組織「ドクター肥沼の偉業を後世に残す会」を立ち上げ、ウリーツェンを訪れ、肥沼の墓参も行っている。こうした市民の活動がきっかけとなり、行政を動かし、今では八王子市とウリーツェン市は国際交流友好都市として深い交流が続いている。「3・11」の時には、ウリーツェン市の学生たちから八王子市を通して被災地に義援金が送られたという。私としても、地域の歴史の発掘と国際交流に多少なりともお手伝いができたとすれば無上の喜びである。肥沼の記念碑は、ウリーツェン市だけでなく、八王子駅北口の中町公園の奥にも立っている。

平成二十七年（二〇一五年）、「線虫感染症の新しい治療法の発見」でノーベル生理学・医学賞を受賞した化学者の大村智氏は、以前から日本の公衆衛生の先覚者として後藤新平と北里柴三郎の名前を挙げ、さらに「北里柴三郎の伝染病研究所の設立に力を注いだ後藤は北里の恩人だ」とも述べるなど、後藤新平を高く讃えてきた。「コロナ禍」の今、大村智氏が開発した抗寄生虫薬「イベルメクチン」は、北里研究所で新型コロナ感染者に対する効果や安全性を調べる治験が始まっている。

また、令和三年（二〇二一年）一月八日、大村智、大隅良典、本庶佑、山中伸弥のノーベル生理学・医学賞受賞者四名は、新型コロナウィルス対策の緊急事態宣言が首都圏に出されたことを受け、医療機関への支援やＰＣＲ検査能力の拡充を政府に要望する声明を発表し、ワクチンや治療薬の審査、承認を迅速にすることを求めた。未曽有の「新型コロナウィルス」禍のなかで、文字通り、粉骨砕身している医師を始めとする医療従事者の方々のご努力を思うとき、私たち一人ひとりの行動の重責を痛感せずにはいられない。最後に、後藤新平の、「自治三訣」の言葉をもって締めくくることとする。

「自治三訣」

人のおせわにならぬやう

人の御世話をするやう

そしてむくいをもとめぬやう

新平

（元ＮＨＫプロデューサー）

コロナ危機をめぐる日本とドイツ

関西学院大学教授　神余　隆博

はじめに

川西重忠氏と初めてお会いしたのは、私がドイツ・ベルリンで大使をしていた二〇〇九年ごろのことであったかと思う。そのころ川西氏は時折ベルリン自由大学に来られて、ドイツ人学生を教えておられたと記憶する。その間、氏のライフワークの一つといってもよい、旧東ドイツのヴリーツェン（Wriezen）市における肥沼信次博士の遺業を顕彰する活動を熱心にしておられた。私にヴリーツェン市のジーベルト市長を紹介していただいたのも川西氏であり、それまで知らなかった肥沼博士の人類愛と医師としての使命感に満ちた行為に心を打たれ、大使として同市を訪問し、肥沼信次博士の遺業を今も伝え、記憶し続けてくれているジーベルト市長と同市の市民に謝意を表した次第である。これも、川西氏の熱意の賜物であり、同氏のお人柄を偲ぶ良い例であると思う。謹んで川西重忠氏に感謝と哀悼の意を表したい。

ヴリーツェンの肥沼信次博士

ペストが蔓延した後のヨーロッパが、ルネサンスと宗教改革で中世から近代に変容したように、ポスト・コロナの世界情勢は、米中対立と世界経済のデカップリングが進み、時代は新冷戦と呼ばれる二極化世界に向かうのか。今回は、この難問に取り組む余裕はない。ドイツが新型コロナウィルスのパンデミック（世界的蔓延）にどのように対応したのか、日本の謎めいた対応はどのようなファクターに基づくものか、日独の対応の違いに関して私見を述べてみたい。すでにご存じの方も少なくないと思われるが、ドイツにおける感染症との闘いに身を投じた日本の医師がいたことから話を始めよう。

感染症といえば、日独の文脈で思い起こされるのは、ロベルト・コッホ博士の下で、ペ

肥沼信次博士（インターネットから）

ヴリーツェン市にある墓碑（インターネットから）

スト菌や破傷風菌抗毒素を発見した北里柴三郎博士である。しかし、時代は下るが、北里博士と同じくベルリン大学で医学を学び、医師としての使命感から自らチフス菌と戦った肥沼信次（コエヌマ・ノブツグ）博士のことを忘れてはならない。八王子生まれの若き放射線科医は、第二次大戦でドイツが敗戦して四か月後の一九四五年九月にポーランドとの国境に近い東ドイツの町、ヴリーツェンにいた。シュレージエンなど旧ドイツ領から難民さながらドイツに帰還してきたドイツ人の間にチフスやコレラが流行した。その時ドイツ人の医者は感染を恐れてか、誰も行く者がいなかったので、ベルリン大学で放射線医学を研究していた日本人医師の肥沼博士が行くこととなった。肥沼信次の活動を研究してこられた故川西重忠桜美林大学教授の著書『日独を繋ぐ〝肥沼信次〟の精神と国際交流』（アジア・ユーラシア総合研究所発行二〇一七年）から以下の通り引用する。

「ヴリーツェンの伝染病医療センター初代所長に就任した肥沼はチフス、コレラと悪性の疫病が猛威を振るう中で獅子奮迅の活躍をした。患者は常時六〇人を超えたが医師は肥沼一人だった。看護婦は七人いたがうち五人は相次いでチフスに倒れた。……激しい臭いの立ち込める凄惨な患者の群れに、ヨハンナ（注：看護婦）の足はすくんだが、彼は身の危険もかえりみず平気で中に入り、重症の患者から順に診ていった。……その直後、肥沼はチフスにかかり吐き気と発熱に襲われ、ついに寝込んだ。死が近づいても「自分はいいのだ」となぜか薬を飲まなかった。そして（一九四六年）三月八日……多くの患者を救った肥沼もついには自身がチフスに罹り亡くなる。三七歳、最後の言葉は「日本の桜が見たい」だったという。」

冒頭にも触れたが、川西教授からぜひヴリーツェンを訪ねてもらいたいとの依頼があり、人口七〇〇〇人ほどの小さな町を訪れた。ジーベルト市長のご案内で肥沼博士のお墓を訪れ、また、八王子高校と学校交流をしているヨハニータ・ギムナジウムを訪れた。ヴリーツェンの市民は、同市の名誉市民となっている肥沼信次の名前を皆知っているようだ。このギムナジウムでも若い生徒はコエヌマ・ノブツグという日本人でも発音し難い名前を正確に発音していたことに二度驚かされる（ちなみに、Koenuma は Koyenuma と表記されることもある）。生徒たちは、肥沼博士の医師としての使命感と自己犠牲の尊さを学んでおり、ビーチバレーボール大会が肥沼博士の名前を冠して行われていることも知った。

日本人に潜むファクターXとは

感染症と言えば、ガーナで黄熱病の研究中に自ら感染して亡くなった野口英世のことを思い出すが、肥沼信次にもその精神が宿っている。このような使命感と自己犠牲の精神を体現した日本人は少なくない。肥沼もそうだしユダヤ人の命を救った杉原千畝もそうである。最近では、アフガニスタンの医療と灌漑事業に身を投じ、何者かに殺害された医師の中村哲氏もそうである。私の外務省の同僚でイラクの戦後の復興支援のために派遣され、車で移動中に殺害された奥克彦、井ノ上正盛両外交官もそうである。

アジア人として、このような人類愛と使命感そして（そうであってはならないが、結果

新渡戸稲造博士（1862～1933）

『武士道』（1897）いずれも新渡戸記念館ホームページより
http://www.nitobe.jp/inazo/index.html

としての）自己犠牲をいとわないのは、日本人に多い。なぜそうなのか、ドイツ人やユダヤ人はじめ世界の多くの人を感動させたそのような無私の行為をなぜ日本人はできるのであろうか。そこにはファクターXのようなものが存在すると言える。そのファクターXとは何か、これは日本人が、古くから有している公徳心であると私は考える。

キリスト教の愛の精神ではなく、武士道としての「義を見てせざるは勇なきなり」あるいは「惻隠の情」たる仁そして、自分よりも他人を、私よりも公を優先する、アジア人としては珍しい日本人の道徳的不文律が存在しているからではないかと思う。中国人や韓国人の行動規範とされる儒教は、自分並びに親族や親しいものの間の孝を重んじる処世の教えであるが、日本の武士道や公徳心は儒教・朱子学の影響を受けているとは言え、その目的のどこかに、自分ならびに親しい者を超えた公共空間がある。新渡戸稲造が世界に感銘を与えた著書〝Bushido〟の中で述べた武士道精神が共存する、日本独特の精神文化といったものが長い年月をかけて出来上がったことによるものと私は考えている。

中国の辛亥革命の元となった孫文の三民主義は一九〇五年七月に東京で結成された中国同盟会の運動方針として掲げられた。日本の民権運動に触発されたものと言われているが、中国で最も欠けているのがこの公徳心であると孫文は指摘している。

「中央公論」（二〇二〇年七月号）において、碩学の故山崎正和氏が、「二一世紀の感染症と文明　近代を襲う見えない災禍と日本人が養ってきた公徳心」と題する刮目の論文を発表しておられる。山崎氏は、一九九五年の阪神淡路大震災以降、日本人の倫理感覚の大転換として新しい公徳心が目覚めたという趣旨のことを言っておられるが、私はそのような公徳心は日本社会においては江戸時代あるいはそれ以前から根付いているものであって、現代的なボランティア活動によって蘇ったかもしれないが、長いルーツを持つものであると理解している。

日本人がこのような公徳心ならびに武士道に基づく仁（Benevolence、人への憐憫の心）、潔ぎ良さや義（Rectitude、人間の行うべき道筋）を重んじる心に基づき公の精神空間を作っていたことについては、ハインリヒ・シュリーマンが、幕末に著した『シュリーマン旅行記　清国・日本』（講談社学術文庫）における江戸幕府の神奈川奉行所の一役人の、シュリーマンを驚かせた、日本入国審査の際の「袖の下」を拒否する態度にも端的に表れているところである。

今回のCOVID-19のパンデミックに際して、日独の対応が何かと比較されるところであるが、私自身は、ＰＣＲの検査数が多い、少ないという問題以上に、都市閉鎖（ロックダウン）を行ったり、罰金を科したり、強制的な措置をとることなく、過去の地震や津波等の自然災害で常に日本人が示してきた、整然とした自粛と忍耐力により感染者数も、死者数（絶対数も人口百万人あたりの死者数）も米国やヨーロッパの他の国に比べるまでもなく、ドイツと比べてもはるかに少ない（何十分の一）ことについて思いを馳せるべきと考える。これには、日本人や東洋人の遺伝子的形質（交差免疫や食習慣）あるいはＢＣＧ等の影響ということもあるかもしれないが、文化的、社会的、歴史的な精神に潜むファクターX（すなわち公徳心）が、他の国に比べてより多く存在するということによるものではないかと考える。

メルケルの真価

このたびの新型コロナウィルスのパンデミックにおいては、初期においてドイツはヨーロッパで最も死亡者数が少ないということが話題となり、これが、ＰＣＲ検査の徹底並びに、ドイツ特有のホームドクター（Hausarzt）制度によるものではないかと頻繁に紹介が行われた。他方でドイツを含め世界では、日本は「不思議の国」と映ったようで、検査を徹底して行なわないにもかかわらず死亡者数が少ない、理解しがたいがパフォーマンス

駐日ドイツ連邦共和国大使館ホームページより

は良い、日本のエニグマ（謎）として話題になった。最近では、ドイツは、外国からのドイツへの渡航者の入国制限に関し、日本をその制限対象から除外することになったようである。

今回のドイツの対応について政治面では、メルケル首相の危機対応能力に世界から賞賛が寄せられている。その大きな原因は、自ら物理学者というバックグラウンドから、専門家の意見を冷静に取り入れて、自ら考え抜いて言葉を発し政策を紡いでいく、メルケル流の慎重な政治手法にドイツ国民が信頼を寄せたということであろう。『中央公論』二〇二〇年七月号にベルリン在住の小説家で詩人の多和田葉子氏の「コロナに思う　不安への答え」と題する一文が掲載されている。多和田氏は、今回のドイツの対応が、大胆さと寛容に基づく政策であったことが成功に導いた要因であると述べている。いわく、「ドイツ統一もペレストロイカ後の旧ソ連からのドイツ系ロシア人全面受け入れも、アフリカからの難民の大量受け入れも、寛大な文化保護政策もすべて大胆な政策だった」ということである。

ただ、二〇一一年の福島原発事故に際するドイツの脱原発方針への転換については、私などは、あまりにも拙速で、結論ありきの、誤解を恐れずに言えば情緒的な脱原発への決定であったと当時を振り返って改めて思う。二〇〇九年以降のユーロ危機では、慎重な対応で、決して先頭に立ってリーダーシップを取らず、「メルケル首相はどこにいる」と言われ、最後の最後の段階で登場して事を収めると言うメルケル流の手法が目立った。欧州ミサイル危機の際のシュミット首相やドイツ統一の際のコール首相の鮮やかな危機管理手法とは異なる、予定調和型のメルケル流危機管理だと思っている次第であるが、今回のパンデミックに際しては、少し違った印象を持っている。

それは何かといえば、多和田氏も指摘しているように「下手にカリスマ性を出さないこと」かもしれない。「メディアを通して国民に話しかける時、一九五四年生まれのこの女性は落ち着いていて、理性的で、人間的暖かみを感じさせる。私服を肥やしたいとか、スターになりたいという欲望が不思議なほど不在なのだ」（多和田氏）。

確かに、ベルリンのペルガモン博物館の近くのマンションの一角に住み、買い物も近所のスーパーマーケットに普通に出かけるといった庶民性をもっており、メルケル首相をめぐっては在任一四年になるというのに、「忖度」とかネポティズムの話は一切聞かない。これはメルケルが女性だからということではない。例えば、「闘う首相」と言われたヘルムート・シュミット首相も、愛妻家で、ハンブルクの普通の家にずっと住んでおり、ジスカールデスタン・フランス大統領を自宅に招いた際に、お城のような家に住んでいるフランス大統領から見ると、質素なドイツの首相の家を見て驚いたということがジスカールデスタン回想録に書かれている。これはドイツのよき伝統なのである。そのようなリーダーとしての政治家のあり方、政治手法の違い、そしていざと言うときには大胆な政策を打ち出すというところに彼我の違いが存在する。

日独がとるべき新しいリーダーシップ

もちろん、ドイツがよくて日本はダメだということを言うつもりは毛頭ない。そのような一方的なドイツ礼賛は間違っている。しかし、メルケル首相が今回のパンデミックにおいてドイツ国民のみならず世界中の人々を感嘆させたのは、同首相が二〇二〇年三月十八日に行ったテレビでの国民に対するメッセージである。このメッセージにおいて、メルケル首相はマスコミではなく直接国民に語りかけている。人の移動の自由等への制約は決して安易に決めてはならない苦渋の決断であること、このウィルスとの戦いは第二次世界大戦以来、これほど社会全体の結束が試される試練は経験したことがないので、思いやりと理性を持って行動することを訴えている。そしてまた、医療従事者はもとより、スーパーマーケットのレジ等で働く人についても感染の危険性があるにもかかわらず、そのリスクを冒して、国民生活を守っていこうとする勇気に対して一国の宰相としての国民に対する責任感と思いやりが溢れていたからである。

日本の総理大臣はなぜ、直接NHKテレビ等で国民に語りかけないのだろうか。このことは、私が常に疑問に思っていたことであり、今回はからずも、それが日本とドイツの国民が自らの国の長に対して示す信頼感の差となって現れている。しかし、逆のこともかつてはあった。二〇一一年の東日本大震災に際して、天皇陛下が国民に向けて語られた御言葉を衛星テレビ放送を通じて、私はベルリンにおいて聞いていた。その後、ドイツのテレビでも報じられたこのニュースを見ていた各国の大使から日本の国民はなんと幸せな国民だろうか、一国の元首が直接あのように真摯に国民に語りかけ、国民を勇気づけようとすることはそうあることではない。その意味で日本は良い元首を持って幸せではないかということであった。天皇陛下が元首かどうかということはここでは議論しないが、国の最高の存在の国民に対する向き合い方の問題ということであろう。今回はメルケル首相にどうしても軍配を上げざるを得ない。

メルケル首相は、すでに与党CDU/CSU党首の座を退き、二〇二一年九月の連邦議会選挙に出馬せず、首相の座も退くと公言している。巷ではメルケル首相のレームダック化がささやかれていたが、今回のパンデミック危機を通じて、メルケル首相が再びドイツのそしてヨーロッパの最強のリーダーとして蘇ってきた。昨年十二月から本年三月にかけてドイツは感染者の急増に対して、長いロックダウンを行ってきた。それをイースターを超えて四月十八日まで延長する際に、イースター期間中の外出禁止を追加的に厳しくしたことで、反発を受け、メルケル首相は重大な過ちを犯したとして、国民に対して直ちに謝罪し、一旦決めた厳しい措置を翌日取り消した。まさに朝令暮改であり、もはやメルケルの限界として手厳しい批判を浴びたが、「過ちては改むるに憚ること勿れ」の論語の教えのとおり、いともあっさりと改めたことは為政者としては勇気のいることであったと思う。これが吉と出るか凶と出るかは不明であるが、政治とはそういうものであろう。

今回のパンデミックを見てもそうだが、ポスト・コロナの人類の発展を担保していくためには、大きな阻害要因である感染症や気候変動の問題に、より一層積極的に取り組まなければならない。このような地球規模課題についての真剣な取り組みを米中両国に促していくためにも、欧州とアジアの民主主義国のリーダーである日独の協力がますます必要になってくるであろう。今年は日独修好一六〇周年であるが、ぜひ新しい日独協力の地平を開拓してもらいたいものである。（二〇二一年三月三〇日記）

パンデミックの衝撃と日本的サービスのゆくえ

桜美林大学名誉教授　桑名　義晴

二〇一九年十二月に中国で発生した新型ウイルスは、瞬く間に世界中に拡散し、パンデミックとなり、世界に大きな衝撃を与えると同時に、いまだ世界中の人々を不安と恐怖に陥れている。世界各国でワクチン接種が始まっているとはいえ、いまだ終息の兆しがみえない。わが国でも感染力の強い変異ウイルスの流行により、また感染者が急増し、東京や大阪などに三度目の緊急事態宣言が発出される事態となっている。

この新型ウイルスによるパンデミックは、いま時代や社会を大きく変化させようとしている。人類はこれまでも天然痘、ペスト、インフルエンザなど、多くの感染症に襲われ、かつそれと戦ってきたが、同時にそのたびに時代や社会が大きく変わった。世界的にベストセラーとなった『銃・病原菌・鉄』の著者J. ダイアモンドは、ヨーロッパ人が他の大陸を征服できた要因の一つに、病原菌を挙げている。

ところで、世界の経済や社会は、第二次世界大戦後グローバリゼーションとデジタル化の波を大きく受け変化してきた。しかし、数年前から世界的に自国第一主義、保護主義、反グローバリズムが台頭し、たとえば米中間の激しい経済対立をはじめ、いくつかの国や分野で軋轢や対立が顕在化してきている。また、いま第四次産業革命が進行中で、コンピュータ、遠隔知能（RI）、人工知能（AI）、インターネットなどデジタル技術の発展によって、われわれの仕事、行動様式、社会が大きく変化しつつある。こうしたなか、新型ウイルスによるパンデミックが発生し、それが大きな衝撃ともなって、これらの変化を加速化させつつある。

グローバリゼーションは、ある意味では「フラットな世界」で人々が世界的な規模で接触し、結びつき、協力するが、反グローバル化はそうではない。そこでは国境の壁は高くなり、世界の国々や人々が分断される。今回のパンデミックによって、国境が封鎖され、人々の接触や交流が抑制され、ソーシャル・ディスタンスを守ることが要請された。このため、人々の国家間移動が激減し、世界の職場ではリモートワークが推奨され、学校では対面授業に代わってオンライン授業、学会はオンライン・コンファレンスがニューノーマルになった。こうして、パンデミックによって、いまわれわれの価値観、行動様式、さらには社会も急速に大きく変わろうとしている。

こうしたなか、人間同士の接触と相互作用をベースとし、日本企業の強みでもある「日本的サービス」の今後のゆくえや在り方がどのようになるのか、ということが気がかりとなっている。周知のように、日本企業、とくに製造企業は一九九〇年代初期まで世界ナンバーワンのもの造り能力を競争優位にして世界市場を席捲していたが、その後製造方法のデジタル化によって、世界市場で急速に競争力を低下させた。とくにアジア新興国市場では韓国、台湾、中国などの企業との低価格競争に巻き込まれ、苦杯をなめるケースが相次いだ。このため、日本企業は新たな競争優位を構築しなければならなくなった。そこで注目されたのが「日本的サービス」である。常に顧客の立場に立ち、きめ細かいサービスを提供する日本的サービスは、質の高さでは世界最高と評価する人もいる。それゆえ、このような日本的サービスを外国の顧客にも訴え提供すれば、感激・感動され、需要獲得につながるのではないかと考える企業が出てきたのである。

一方、日本のサービス産業の企業の多くは、かつては国内の顧客とは違うニーズや嗜好をもつ外国の顧客を相手にするのは非常に難しいとの理由から、海外展開には二の足を踏んでいたが、国内市場が少子・高齢化で急速に縮小してきたので、海外展開に活路を見出さなければならなくなった。このため、サービス産業のなかで、日本的サービスを競争優位の構築につなげ、海外展開の際に、それを移転しようとする企業がみられるようになった。

なるほど、「きめ細かい」「きれい好き」「相手を思いやる心」「安心・安全を大切にする気持ち」など、日本人の気質や性格に由来する「日本的サービス」は、外国でも評判がよいので、日本企業の競争優位になる可能性がある。とりわけ、その象徴ともいえる「おもてなし」は、顧客の立場に立って、その心や気持ちを先取りして、サービスを提供するものであるから、外国人にも大きな驚き、喜び、感動を与えるかもしれない。だからこそ、その「おもてなし」という言葉は、二〇一三年の東京オリンピック・パラリンピックの誘致の際のキャッチフレーズとなったのではないか。

しかし、このような日本的サービスは、今回の新型コロナウイルスのパンデミックの発生で、ほとんど活かす機会や場がなくなってしまった。日本的サービスは顧客に直接接して、その良さを実感してもらうものであるにもかかわらず、それができなくなってしまったのである。ウイルスという目に見えない敵が日本的サービスの前に大きく立ちふさがったのである。またパンデミックの発生で、前述のように、われわれはコンピュータ、ネットワークなど、デジタル技術を使って仕事、勉強、研究などを行うようになった。加えて、近年ＡＩの進展により、優秀なロボットが多くの職場に導入されるようにもなっている。

ちなみに、ＡＩロボットの登場は、これからのわれわれの仕事や社会に大きなインパクトを与えるものである。近い将来、われわれの多くの仕事がＡＩロボットにとって代わられるとの予測もある。サービス産業のなかで、飲食、宿泊、輸送、倉庫、小売りなどの仕事はロボットに置き換わる割合が多いという。事実、飲食業やホテルでは接客ロボットが登場し活躍している。中国のレストランでは、ロボットシェフも登場しているという。

確かに、このようなデジタル技術を使った方法は、時間と距離を縮小させ、コスト面からみても、きわめて有益で便利でもある。筆者も昨年からZoomによる授業の実施や国内外の学会への参加を経験しているので、その便益を実感している。われわれは時空を超えて仕事ができるようになったことを体感している。まさに「コンピュータは人間の知的能力の限界を吹き飛ばし、人類を新たな領域に連れて行こうとしている」といってもよい。

このような近年のデジタル技術の驚異的な進歩を考えると、人間同士の相互作用をベースとする日本的サービスの魅力を提供する機会や場がなくなってしまうのではないか、とますます気になる。今後、そのようなことが果たして現実となるのだろうか。その答えを出すのはそう簡単ではないけれども、そのような状況になるのはまだまだ先のことではないかと思われる。コンピュータやＡＩの分野の専門家でも意見が分かれているが、ＡＩがトップレベルの人間並みのスキルを習得するには五〇年余りかかるという。

人間には優秀なロボットでもできない能力がある。その1つが自分でアイデアを出し、新しいものをつくりだす「創造力」であり、もう1つが他人の反応に気づき、それに適切に反応できる「社会的な能力」である。人間が種として大成功を収めたのは、この二つの能力があったからである。アイデアを出したり、人の心を読み、それに共感したり、人間同士の複雑なやり取りをうまく処理することはロボットにはできない。

日本的サービスの本質には、このようなロボットにはできない、いわゆる人間に固有の頭脳、心、本性にかかわるものが少なからず含まれているので、今後デジタル技術がさらに発展しても、その魅力が簡単になくならないと思われる。とりわけ、「おもてなし」には創造力と社会的な能力が決定的に重要になる。一〇年ほど前に、タイのバンコクの日本料理店に人間に代わって接客するロボットがおり、地元客や外国からの観光客に大人気だということを知り、日系企業の調査に行った折に、その店に行ってみた。実際に、日本の武士の鎧をまとい、料理を運び、さらには音楽に合わせて踊りのようなパフォーマンスさえもする接客ロボットには確かに興味を覚えたが、それ以上の大きな感動や共感はなかった。

人間のアイデア、発明、感動、喜び、共感などは、他人とのフェース・ツウ・フェースの接触や対話から生まれるものではないだろうか。このようなことを考えると、いまパンデミックでその魅力を十分に示す機会や場所が激減している日本的サービスは、将来においても国際的にも日本企業の競争優位になり得るのではないかと思われる。とはいえ、今後の日本的サービスのゆくえや在り方を考える場合、念頭に置いておかなければならない点も少なくない。

その1つが、今後サービス分野でもますます導入されると思われるロボットとの関係である。現時点では接客ロボットについてみても、きめ細かいサービスを提供する人間によるる日本的サービスに遠く及ばないとしても、今後のＡＩのさらなる進展によって、それに接近してくることは疑いないだろう。とはいえ、ＡＩがさらに進歩したとしても、ロボットと人間には、前述のように本質的な違いがある。したがって、今後日本的サービスの提供を考える場合には、その違いを正しく認識し、人間とロボットの役割分担を明確にしておくことがきわめて重要となろう。その比較優位を見極めておくことが大事になるのである。そして、そのうえで人間とロボットの双方の良い面を引き出すようにするハイブリッド化を進めることである。このようになると、両者のシナジー効果によって、日本的サービスは顧客により高次元の価値を提供できるようになると思われる。

もう1つが海外諸国にあるサービスとのハイブリッド化である。日本的サービスは世界的にみても、質的に高いレベルであるといっても、経済の発展段階や文化の異なる外国では、それが受け入れられるとは限らない。また、外国には日本的サービスよりも優れたサービスが多くあるかもしれない。こうした点を考えると、日本的サービスを世界の多くの国の顧客に受け入れられるには、世界標準のサービスにまで高める必要がある。これは日本的サービスと外国のサービスの良い点を取り入れる異文化シナジーを通じたサービスのハイブリット化である。

いずれにしろ、日本企業がこのような点を通じて日本的サービスを今後の時代と世界に評価される次元までに高めるためには、それを実践する人材の育成が不可欠になる。デジタル分野やその技術に精通し、人間とロボットとの正しい協力を見極め、それを促進させるとともに、世界の多様な文化に精通した異文化マネジメント能力のある人材の育成である。新型コロナウイルスのパンデミックによって、日本のサービス企業も甚大な被害を被っているが、こうした未曽有の危機を乗り越えて、ますます激化するグローバル競争で生き残り、さらに成長する企業とは、こうした人材の育成に多くの時間とエネルギーを費やした企業ではないだろうか。そのように言ってもよいだろう。

河合栄治郎と宇沢弘文

元高校・大学教員　西谷　英昭

はじめに

平成末期に似通った書名の二冊が発行された。一つは『全体主義と闘った男　河合栄治郎』（湯浅　博）、もう一つは『資本主義と闘った男　宇沢弘文と経済学の世界』（佐々木　実）である。どちらも現時点では河合栄治郎、宇沢弘文を知るには絶好の大作である。

本稿は、二人の生き様・思想を、現代社会に意義あるものと考え、その類似点のみに絞り要約してレポートするものである。

一　河合栄治郎（の弟子）と宇沢弘文

河合と宇沢の直接の接触はない。宇沢の著書にしばしば（リベラリズムの理念に忠実に生きようとする人として）河合が登場するが、それは河合の弟子木村健康、安井琢磨との関連である。宇沢は第一高等学校で木村からミルの『自由論』を学び、その精神を伝授されたことを誇りにしている。木村は宇沢が数学から経済学に転じた時の師の一人であり、フルブライト旅費応募の推薦文を書き、後年宇沢が帰国する際、東大への機会をつくったり、家族で食事したりの間柄でもあった。宇沢は木村への追悼文で「学問と思想の自由を守り、学者としての生き方に一貫性を与えてくれた」と述べている。又安井琢磨は宇沢から提出された博士論文以来、宇沢を高く評価し、宇沢も「安井先生」と呼び尊敬していた。

二　経済学を志す―「温かい心」と「冷静な頭脳」

二人とも最初から経済学を目指していたのではない。河合は東大政治学科を出て農商務省の官吏となったが、卒業前に労働者の実態を記録した『職工事情』を読み、劣悪な労働条件、悲惨で過酷な現状を見て「涙無くして閉じることはできない」衝撃を受けた。又河上肇訳のセリグマン『歴史の経済学的解明　新史観』で唯物史観を知り「頭上に鉄槌を加えられた」ほどの感銘を受け社会改革への関心を高めていた。

宇沢は東大数学科を出て研究生になっていたが、周囲の学生運動家たちの勉強会に出て、マルクス主義を学び、中国留学生たちから毛沢東の事など教えられながら、混乱した戦後の貧困や労働問題に関心を寄せていった。数学が貴族主義的なものに思えてきた頃、河上肇『貧乏物語』に出会う。その序にあったラスキンの〝There is no wealth,but life〟を〝人生の目的は富ではなく道を開くためである〟と受け止め、道を開く妨げになる貧乏退治をする経済学こそ真に学ぶに足る学問である、との主張に強く触発され、経済学へ転向したのである。

『職工事情』『貧乏物語』はともに、劣悪な労働条件、貧困の中で人格の成長も、人間の尊厳も無視された人々への二人の人道主義的情熱（温かい心）に火をつけたものと言える。そして二人は〝冷静な頭脳〟でその改善・改革に果敢に取り組むのであった。

三　資本主義・社会主義の弊害と幻想

既存の資本主義・社会主義は、それを擁護する人には良くても、多くの人には幻想でしかないとして、二人はその弊害を批判する。簡単に言えば、資本主義下では一部の資本家が富の多くを私有し、労働者は搾取され貧困に苦しむ者が多く、社会主義下では、人々の自由は失われ、市民的権利は無視されている、というのである。

河合は、人格主義を基盤に理想的な社会を求めた膨大な理想主義体系の構築に取り組むが、その過程で資本主義に対しては、制度の矛盾に加え、「人格成長と根本的に対立する物質主義や階級間の対立・不平等がもたらす悪しき雰囲気・憎悪等の道徳的側面での弊害」を強調する。（マルクス的）社会主義に対しては、唯物論、唯物史観や階級国家論に反対し、暴力革命主義・プロレタリア独裁主義を強く批判し、議会主義と言論思想の自由を主張した。

宇沢は、数理経済学部門でノーベル賞級の業績を上げていくが、ベトナム戦争や帰国後の日本の公害・環境問題を目の当たりにし、それらを主たるテーマにしない**新古典派理論に疑問**を持ち批判者に転じていく。資本主義に対しては、商品化された労働（力）疎外、景気変動の不安定等に加え、「市場経済的規範が文化的、社会的条件まで規定し、環境破壊・公害を引き起こし生活基盤の崩壊をもたらしている。私的利潤に恵まれない人は、人間らしく生きるすべを失う、人道的に許せない倫理性の欠如がある」と断罪する。社会主義に対しては、「マクロ的経済計画の実現可能性と現実との乖離、自然的・人工的要因から起こされる不安定な変動」、「計画によって指示されるものと個人の主体的行動様式・選好とが必ずしも整合的ではない」、「党主導下で官僚集団の偏向、俗悪性が人々の生活内容を規定し、文化的諸条件に強い影響を及ぼし、時には広い環境破壊や公害の発生を見る」とその弊害を説く。

四　資本主義・社会主義を超えて

資本主義・社会主義の弊害と幻想を批判した二人にとって、それに代わる社会はどのようなものであるだろうか。

河合は、それを「**第三期の自由主義**」として特有の社会主義を述べる。第一期は自由放任時代の、第二期は社会改良主義の自由主義であり、それをさらに進めたのが第三期自由主義であるという。これはイギリスのフェビアン協会や労働党の流れに見られる倫理的、宗教的、理想主義的な社会主義であり、この派の人たちが社会改革の目的とするものは各人の人格成長であるという。人は河合の社会主義を自由主義的、人格主義的、理想主義的社会主義等と呼ぶ。日本では**民主（的）社会主義**と言ってよいだろう。河合思想の共鳴者の多くは、戦後、民主（的）社会主義者として活躍したし、民社党議員になった関嘉彦は『新しい社会主義』で、「本書の基調になっているのは、河合の人格主義的社会主義である」と記している。河合は「私を理想主義の上に立つ社会民主主義者の範疇に属せしむべきである」とも書いている。

宇沢の社会思想の核心的概念は「**社会的共通資本**」である。それは「すべての人が人間らしく生きていくために重要な役割を果たす財・サービスを社会にとって共通の財産として、社会的に管理し、その果実をすべての人が享受できるようにしなければならない」として自然資本（大気・森林等）、社会資本（道路・上下水道等）、制度資本（教育・医療等）の三つをあげる。これらは「中央集権的、或いは市場原理主義的な基準で管理されたり分配されたりしてはならず、社会的な基準に従って管理されねばならない」という。その管理するものを「**コモンズ**」といい、昔から様々な形態・制度を持っていて森林の入会制、協同組合など、又非営利組織などにもコモンズと言えるものがある。社会的共通資本は私有制あるいは私的な管理、市場原理主義を否定するものであるが、即社会主義と言われるものではない。もともと宇沢は主義の人ではないが、その発想は西欧社会民主主義や福祉国家の発想に連なる傾向があると言ってもよいのではないか。フェビアン協会関係者との関わりも多く、宇沢の英国人脈には、福祉国家への移行を支えた経済学者も多い。

誤解を恐れず二人の立つ位置を言えば、「（左右いずれにも偏らない人間本位の）中道左派の穏健な自由主義的思想」（川西重忠）と言えるだろう。

五　リベラリズム（自由主義）からの闘い

河合、宇沢の思想的基盤はリベラリズム（自由主義）である。

河合にとって自由とは「強制のない状態」で三つの場合を考え、それぞれ異なった意義を持つ。一つは社会的・市民的自由、第二は意思の自由、第三は道徳的自由である。第二、第三は哲学の問題として扱い、ここで見る社会思想上の自由は第一の自由である。この自由主義が要求するのは、身体・思想・政治・経済・社会（職業選択・教育等）・宗教・団結・団体・家族・地方的・国民的・国際的などの自由であり、これら社会的・市民的自由の最大限の実現を要求するものが自由主義であるという。その根拠は、彼が最高価値と主張する人格成長に不可欠だからである。自由無くして外部からの強制多ければ，自己により動くものでないから人格でなくなる。又強制は各人の個性を無視し画一的の性格を形成する。だが人格成長とは各人の個性を伸張することでもあるという。

宇沢は「一人一人の市民が人間的尊厳を守り、魂の自立をはかって市民的権利を最大限に享受することができるという視点に立って、新しい経済体制の在り方を学問的に分析したり、社会的運動として展開していくというのが、リベラリズムの思想です」という。市民的権利とは思想・言論・信教・生活様式・職業・団結などの自由で、他人の市民的自由を侵害しない限りにおいて、行動の自由を認められるのである。宇沢はこれに加えて、健康で快適な生活、教育・医療・自然環境などについて、誰もが最低限のサービスを享受できることを権利としている。河合の**人格成長と社会的・市民的自由**は、宇沢の**人間的尊厳と市民的権利**に重なる。この立場から全体主義、資本主義、社会主義に対し実際の言動で果敢に闘った二人は、ともにリベラリスト・ミリタントと呼ばれた。

六　教育に関わる

河合・宇沢は、専門の学問領域とは別に教育に強い関心を持った。

河合は、教育を人格の陶冶という一般教育とそれを前提とした専門（特殊）的教育に区別し、前者を重視する。それは真・善・美を理想とする学問・道徳・芸術の調和ともいえ、これらを実現する素質・能力・可能性（人格性）は生まれながらに各自に具有されているもので、それらを引き出し現実に開花させることが教育なのである。人格性は個々人様々であり、そこに個性も生じうるのである。人格陶冶（成長）は各人でなされなければならない（これが**教養**）が、その手助けをするのが教師である。

宇沢は、「各人が持っている個性的な先天的、後天的資質・能力を伸ばし、一人の社会的人間として成長させることが教育であり」、「子どもの知的・道徳的・身体的・芸術的能力の蕾を大事に育て開花させること（人格的形成）が学校教育の大切な機能である」という。

こういう役割を担う教師に対する**聖職観**も共通している。又大学教育では、二人ともリベラルアーツを重視し、それを踏まえての細分化された専門教育であるべきことを力説した。河合は一般（教養）教育という言い方だが、内容は同じである。しかもそれを学ぶべき年齢として**二十歳前後を重視**したのも同じである。二人は教育論を述べるだけでなく、**実践的**でもあった。河合は、学生との面会日を設けたり、全国を飛び回って講演したり、学生向けの出版を通じて、教養を説き人格成長を鼓舞した。宇沢は、中高生向きの数学書を出版したり、社会科教科書を書き監修もした。又実現はできなかったが、中高一貫した全寮制、六年制学校の創設に意欲を燃やした。

おわりに

本テーマは、私が川西先生と最後にお会いした時の話題の一つであった。先生の突然の訃報で私の書く意欲も薄れたが、やはり最後の約束（？）だけは果たしたい、との思いがよみがえり、約二万字で仕上げた。本書ではそれを大幅に縮小したので、結論だけの要約になったが、とりあえず川西先生への報告としたい。

文中「　」は二人の著書から要約引用したものが多く、冒頭の佐々木実氏の著書からも多くを参考にさせてもらった。記して感謝します。

生産力至上主義と「無限の自然」仮説を問う
――わが半世紀の産業・企業研究と経営哲学をふまえて――

ＳＢＩ大学院大学客員教授　十名　直喜

はじめに　―「私の一冊」と仕事・研究人生

川西重忠氏との出会いと交流は二年余と短いが、限りなく深いものである。その余韻は、今も美しい調べを奏でている。

「あなたの一冊は何ですか」。川西氏から質問されたのは、経済社会学会（二〇一七年九月）の昼食時のことである。直前の共通論題において、筆者は「日本的な働き方と変革への視座―働くことの意味とあり方を問い直す」というテーマで主催校を代表して報告した。「実に良かった」と過分なお褒めをいただく。

質問は、その直後のことであった。突然の真摯な問いかけに、思わず食べ物が喉に詰まりそうになる。少し間をおき、「『資本論』といえるかもしれません」とお応えした。研究人生に踏み出す最初のきっかけを与えてくれた本であり、わが青春の匂いがそこに込められているからである。

ただ、「私の一冊」を『資本論』というのは、おこがましくも感じる。青春時代は、そう言えるかもしれないが、その後は『資本論』をひも解くことも減っていくからである。しかし、『資本論』との出会いは、働学研の仕事・研究スタイルの起点となり、紆余曲折を経つつも、わが産業・企業研究の隠れた砥石になってきた。そうみると、「私の一冊」との直感は、的を射ていたのかもしれない。

製鉄所現場の息吹と『資本論』

大学では「マルクス経済学」を学び、一九七一年、高炉メーカーに入社する。日本鉄鋼業の最盛時で、「鉄は国家なり」と称された。製鉄所に配属され、半年間にわたる新人実習中に、独身寮の部屋で初めて紐解いたのが、K・マルクス『資本論』（第一～三巻）である。

巨大な高炉や転炉、圧延工場などの労働現場は、まさに『資本論』が描く世界そのものの如く目に映る。難解な論理も、それほど気にならない。鉄鋼生産現場の最前線に踏み込んだ衝撃の深さが、また一九七〇年代初めという時代的雰囲気が、そうした行動に駆り立てたのかもしれない。

半年余の現場実習の後、鉄鋼原料管理の仕事に就いた。その後、退職するまでの二十一年間、高炉を擁する製鉄部門（技術部門）で働き、事務・技術・技能が渾然一体となった現場でのホットな体験や知見に学びつつ産業研究を進めた。

そうした中から紡ぎ出された最初の拙稿が、十名［1973］「大工業理論への一考察―芝田進午氏の所説に触れつつ（上）」である。鉄鋼生産現場の視点から、科学・技術・労働の関係を理論的に考察したもので、入社後、三年目のことであった。

大工業において、労働過程および科学技術をどのように捉えるべきか。このテーマをめぐって、注目を集めていた芝田進午氏の所説（『科学＝技術革命の理論』や『現代の精神的労働』）に焦点をあてる。生産力と生産様式、技術と組織、科学・技術と労働などについて、マルクスの『資本論』や『経済学批判要綱』に立ち返り、物質的富の生産と科学技術、部分労働と全体労働の分業という視点から捉え直した。

そこでの手応えが、生産現場での研究へとわが身を駆り立てていく引き金になった。それを機に、大工業論、資源論、技術論へと働きつつ研究を進めていく。製鉄所勤務の二〇代半ばから三〇代初めにかけてのことである。

半世紀を経た今、新たな論稿「ＩＣＴが問い直す生産力、技術、労働、物質代謝論―ポストコロナ社会への歴史的視座」をまとめて公刊したが、主要な論点の多くはすでに半世紀前に提示し論じていることに、驚いている。

理論から実証そして体系化へ　―わが原点に立ち返る

十名［1973］は、最初の論文で、働学研の人生を切り拓いた記念碑的作品なった。それと一緒に掲載されたわが随筆が、「働きつつ学び研究することの意義と展望」である。「諸産業分野の労働者が自らの手でもって、内在する諸問題を解明し、政策化し、積極的に組織化していく」ことの歴史的な意義と必要性を訴えている。「働きつつ学び研究する」という言葉は、「労働は生命のランプに火を注ぎ、思考はそれに火を点ずる」というジョン・ベラーズの名句（『資本論』第1巻第13章）から閃いたものである。

なお、製鉄所現場で働きながら、経済理論だけで研究を続けていくことは難しい。そこで、抽象から具象へ、そして臨場感をもって日々取り組むべく、自らが従事する仕事、産業、技術、経営を研究対象としたのである。原料管理の仕事を通して鉄鋼原料問題の実証分析へ進む。

そうした働学研の仕事・研究スタイルは、日本の財界リーダーであった鉄鋼業とくに大手高炉メーカーの労務管理の枠組みを踏み越えていたとみられ、厳しい処遇を余儀なくされる。そこでの悩みと葛藤は、研究や生き方などの悩みへと波及する。何とかギリギリで凌ぎつつ、鉄鋼産業をモデルとして実証研究を深めていった。それにつれて『資本論』離れも進む。

そうしたなかから紡ぎ出したのが、鉄鋼三部作（『日本型フレキシビリティの構造』法律文化社 1993.4、『日本型鉄鋼システム』同文舘 1996.4、『鉄鋼生産システム』同文舘 1996.9）である。

その後、四半世紀を経て、『資本論』に立ち返ったのが、『ひと・まち・ものづくりの経済学』法律文化社 2012.7 である。『資本論』が示す人間発達論、工業と農業の「より高次な総合」論などに光をあてつつ、克服すべき論点、視点にもメスを入れる。産業研究を深めるなか、青春時の研究の出発点であり原点でもある『資本論』に立ち戻り、広義のものづくり経済学としてまとめようとしたものである。

『資本論』から離れて探求するなか、立ち戻ったのが、わが青春に深い彩を与えた『資本論』への新たな眼差しであった。

そうした紆余曲折を経ての『資本論』である。それゆえ、「私の1冊」と呼べるかどうか。はなはだ心許ないが、川西氏からの突然の質問に、思わず飛び出したのが『資本論』であった。そこから新たなドラマが始まる。

ポストコロナ社会への歴史的視座　―川西氏との出会いが紡ぎ出すドラマ

川西氏にお会いして対話したのは、一時間足らずにすぎない。しかし、その出会いが、様々なドラマを紡ぎ出すことになる。「私の一冊」は早速、ご編著（川西重忠編［2018.2］『生涯読書のすすめ（増補改訂版）』アジア・ユーラシア総合研究所）に掲載していただく。そして、十名直喜［2019.2］『企業不祥事と日本的経営―品質と働き方のダイナミズム』晃洋書房を献本するや、その経営倫理に共鳴され、SBI大学院大学の「経営哲学」担当にご推薦いただいた。

「経営哲学」講義の準備と8冊目の単著書の出版に向けて、追い込みに入っていた二〇一九年十二月、川西氏の訃報に接する。急きょ追悼文（下記）をまとめ、十名直喜［2020.2］

『人生のロマンと挑戦―「働・学・研」協同の理念と生き方』社会評論社の「エピローグ」に織り込んだ。

「SBI大学院大学に導いていただいた同学教授川西重忠氏（桜美林大学名誉教授、アジア・ユーラシア総合研究所代表理事）が急逝されたのは、昨年十二月初めのことである。彼が担当されていた「近代日本の代表的経営者論」を急きょ引き継ぐ。その味わい深い講義録に接しながら、彼を偲び学ぶ日々を送っている。本書を、川西重忠氏の墓前に捧げたい。」

川西氏に架けていただいたSBI大学院大学への橋は、新たな論文へとつながる。十名直喜［2021.1］「産業イノベーションと環境文化革命―ポストコロナ社会への歴史的視座」（『SBI大学院大学紀要』第八号、である。短くも限りなく深く温かい交流と学恩を偲び、あらためて追悼文として小論を、川西氏に捧げる。

川西氏との出会いが継ぎ出すドラマは、まだ終わっていない。これからが本番、そして収穫の秋に出来ればと思っている。

知的職人・社会人博士育成の新たなドラマづくり　―コロナ禍の挑戦

働学研（博論・本つくり）研究会、略称：働学研は、研究の初心者から熟達者に至る社会人研究者の多様なニーズに応え、楽しく真摯に議論できる研究交流の場として、二〇一九年七月に発足した。定年退職（同三月）後の新たな出発である。

近年、在野の社会人研究者の受け皿、すなわち彼らの研究成果を受けとめ洗練化の指導を行ったうえで学位（論文博士）を出すことが、難しくなってきている。本研究会は、近隣大学院とも連携してそうした時代状況を切り拓き、博士論文つくり、博士号の取得、単著書出版などを、社会人研究者が実現できるように支援する研究会である。

京都市民大学院の成徳学舎にて産声を上げ、二つの学会（国際文化政策研究教育学会、基礎経済科学研究所）他にも広げている。月例会を、月一回開催しており、二〇二〇年七月以降はオンライン開催をベースにしている。二十一年四月には、第二〇回目となる。

月例会は、数名から出発し、最近は二〇名前後が参加している。コロナ禍のなか、オンライン開催を通して、新たな広がりや盛り上がりもみられる。参加者の多様な仕事・人生現場の息吹を追体験しつつ、学びあい磨き合う場となっている。

主宰者（十名直喜）の想定を超えて、多彩な研究交流や出会い、自己実現が生まれている。そうした他者実現への支援は、わが研究への知的刺激になるという好循環も生まれつつある。自然と人間の物質代謝の視点から、生産力、技術、労働、情報などを改めて問い直す研究も、二〇二一年一〜三月の働学研月例会での議論が触媒となっている。

生産力至上主義への批判的眼差し ―「生産」と「生産力」を問い直す

「生産力とは何か」という問いが、いま注目を集めている。「生産力の発展」が、自由の拡大、社会発展につながるとみるのが、マルクスの思想（史的唯物論）である。ベストセラーの斉藤幸平［2029］『人新世の「資本論」』は、それを「生産力至上主義」とみなし、定常型ゼロ成長社会をめざす新しい社会の障害になると批判する。

「生産力」と聞くと、経済成長やＧＤＰをイメージする人も少なくない。地球社会の環境破壊や格差・貧困が深刻化するなか、経済成長志向＝生産力至上主義とみなし、「生産力」そのもの、さらには「生産力の発展」への厳しい眼差しや批判へと連動する。

「生産力」そのものを問うには、「生産」とは何かをまず問わねばなるまい。まず「生産」という目的があり、それを担う手段、能力として「生産力」があるからである。

「生産とは何か」を考える場合、F・エンゲルス［1884］『家族・私有財産・国家の起源』の「序文」が示唆に富む。それを手がかりに、次のように定義する。「生産」とは、社会が存立するための最も基本的な人間の活動である。その根幹をなすのは、人間の生命・生活の生産と再生産である。生産は、広義には①（生殖と子育てによる）生命の生産と再生産、②労働による生活資料の生産、から成る。両者は、根源的には統一されていた。しかし、生産の発展過程において両者が分離・分化していくなか、②の優位性が高まり、①を規定するようになる。

「生産力至上主義」論およびその批判論者のいずれも、「②労働による生活資料の生産」視点に偏っているとみられる。最も基本であるべき「①（生殖と子育てによる）生命の生産と再生産」は軽んじられ、ほとんど視野に入っていないのではなかろうか。

それでは次に、「生産力とは何か」が問われよう。「生産力」とは、社会が存立するための人間の活動力のことであり、社会・経済を構成する各種の組織が行うことのできる生産の能力のことである。

「生産力の発展」とは何か　―あるべき生産力への視座

ＧＤＰや経済成長の指標は、生産力の量的側面の一部を表しているが、「生産力の発展」といえるのかどうかが問われねばなるまい。

巨大金融資本本位の大量生産、大量消費が地球を覆い、環境破壊や社会の格差・貧困がかつてなく深刻化して、社会の存続そのものが根底から脅かされている。生産力とは、社会が存立するための諸能力のことである。社会の在立を危うくする諸力の拡張は、「生産力の発展」とはいえまい。生産力の劣化あるいは退化といえるかもしれない。

本来の生産力とは何か、生産力の発展とは何かが、あらためて問われているのである。『資本論』は、生産力のあるべき姿を次のように提示する。「最小の力の消費によって、自分たちの人間性に最もふさわしく最も適合した条件のもとでこの物質代謝を行うこと」。それを、現代的にどう読み解くかが問われよう。

「最小の力の消費」とは、「資源と労働の最小の消費」である。それを、「自らの人間性に最もふさわしく最も適合した条件のもと」で行う。

そこには、量的および質的な生産力の統合のあり方が示されている。それは、生産性にとどまらず、人間らしい労働、生産、消費などをも包括した物質代謝のあるべき姿、すなわち「生産力」の本来のあり方に他ならない。「生産力」概念を、「生産」概念に立ち戻り、本来のあるべき姿として捉え直し提示すること、すなわち「生産力」概念の再生と復権が求められているのである。

経済学の「無限の自然」仮説を問う

地球の有限性が明らかになり、地球の温暖化など地球環境の深刻な劣化を、誰もが日々痛感する時代を迎えている。

これまでのような経済成長が今後、永遠に続かないことは明白であるにもかかわらず、経済成長論に囚われる人は今も少なくない。それはなぜか。

経済理論の前提に「無限の自然」観があるのが、主な理由の一つとみられる。永遠で一様な時間と無限で摩擦のない均質な空間というニュートン力学の仮説が、「劣化しない無限の自然」という経済学仮説のベースになっている。

「生産力至上主義」をめぐる議論は、『資本論』や史的唯物論を俎上に載せているが、近代経済学、マルクス経済学のいずれもの前提＝仮説とされる「(劣化しない)無限の自然」

観そのものを問う議論には至っていない。

問い直すべきは、今日の無意識の前提となっている経済学仮説、すなわち「劣化しない無限の自然」仮説ではなかろうか。

ニュートン力学は天上の運動を論じたが、地上の運動を論じるには産業のために発展した熱力学が不可欠であり、21世紀の経済学においても求められている。

経済は、生物である人間が行う地上の活動であり、自然の生産を基礎にした活動である。それゆえ経済活動は、熱力学の法則と自然の物質循環から免れることはできない。むしろ、非可逆的な自然の法則をふまえることで、従来の経済学に対して新たな知見（さまざまな制約と可能性）を与えるとみられる。

おわりに　―半世紀を経ての新たな対話と研究創造

新たな論稿「ＩＣＴが問い直す生産力、技術、労働、物質代謝論」をまとめているが、主要な論点は、すでに半世紀前の小論（十名［1973］）で提示し論じていることに、驚いている。

資本主義と情報通信技術（ＩＣＴ）をめぐる議論は限りなく広く深いものがあり、生産力、技術、労働、組織、情報、物質代謝、非物質代謝、金融資本主義へと展開する。それぞれの定義、あり方まで俎上に載せることになった。期せずして、『資本論』などの古典に立ち返るなど、わが研究の出発点からのより深い再考を促している。

「25歳の自分」（十名［1973］）との半世紀ぶりの対話、さらに現代的視点からの議論、それに基づく考察は、スリルに富む。それを促す場となったのが、働学研（博論・本つくり）研究会である。二〇二一年早々の新たな交流を機に生まれた作品であり、これまでにはない知的な新地平を切り開くことができればと思っている。

夫天地万物之逆旅、光陰者百代過客

法政大学名誉教授　川成　洋

川西重忠さんと初めて会ったのは、二〇一三年十一月ごろ、淵野辺駅の北口に隣接する学生専用の喫茶店サンマルクカフェであった。たまたま僕が少し早めに来ていて、間もなく本を包んだ風呂敷包みをもった人が入ってきた。この人に違いないと思った僕は、片手をあげて合図を送った。これが初めての出会いだった。不思議である。僕の専門は現代英文学であり、川西さんの専門とは全く異なる。

それにしても僕らが出会うにはそれなりの理由があった。

その半年前のこと、法政大学で「シベリア抑留研究会」が開かれ、研究発表者は長瀬了治さんだった。彼は体を壊して東京の会社を辞め故郷の北海道で、一念発起してロシア語を学び（おそらく、北大の教養時代に、第三外国語でロシア語を選択したのだろう）、生まれ故郷の美しいラベンダーの町、美瑛に戻り、シベリア抑留の研究を始め、本格的な著作を出版した。北大教養時代の露文専攻の友人から孤軍奮闘している長瀬さんをなんとか応援してほしいと言われ、そのほぼすべての本をどこかの新聞か週刊誌に書評を書いた。

長瀬さんの研究発表が終わり、彼にお疲れさまと挨拶をして、この研究会の会長富田武さんにも一言。彼とは、一九八六年、スペイン史学会主宰の「スペイン内戦勃発50周年」パネルディスカッションが行われ、スターリンのスペイン内戦への対応をロシア史研究者として富田さん、スペイン内戦に共和国防衛のために五〇数カ国から四万人もの青年で編制された「国際旅団」の研究者として僕が、パネラーとして隣り合わせで席に着いたのだった。

とにかく二人に挨拶して、会場から廊下に出ると、見知らぬ女性が遠慮しがちに「どうぞ、この本を」と一冊の本を差し出してくれた。『魚と風とそしてサーシャ』という本であった。その女性が著者の渡邊祥子さんだった。さっそく読ませてもらった。このヒューマン・ドキュメントの書評を知り合いの新聞社に送った。その書評のことで川西さんが僕に電話してきたのだった。そういえば、彼はモスクワ大学で富田さんとは研究仲間であって、一緒に日本人留学生の研究の指導したことが彼の書いたもので読んだ記憶がある。そして、渡邊さんの『魚と風とそしてサーシャ』によると「シベリア抑留研究会」で、彼女は富田さんから川西さんを紹介され、そしてこの本の刊行と結びついたようである。人間の邂逅の輪というべきか、なんとも偶然とはいえ、不思議な感じがする。

川西さんは、『魚と風とサーシャー』だけでなく、北東アジア総合研究所で刊行されたすべての本の「前書き」か「後書き」として長い解説を寄せている。勿論、その解説には、取り上げた本に対する熱情がたっぷり加味させている。僕はまず第一に、川西さんの書いたものを味読したのだった。上梓する著者、あるいは訳者からすれば、最初の読者である版元の代表者から絶大な信頼と愛情を戴いて出版の運びとなったのを実感しているはずであり、幸せな本の誕生ではあるまいか。羨ましいと言えば、言い過ぎだろうか。というか、このような代表者サイドの推薦ないし激励文付きの本など、世界中どこを探しても見当たらないはず。もしかしたら、産みの親である彼自身が一番満足しているのではないだろうか。

川西さんは、毎年、東京ビックサイトで開かれるブックフェアに独自のブースを確保して、出版した本を展示し、そこでも結構売れると言う。とてもニコニコして楽しそうに説明してくれた。独りで原稿を編集し、出版し、販売する。これこそ、彼には至上の喜びだったはずである。彼の口から飛び出しくる本にまつわる話はよどみなく続いた。少し昼飯時間が過ぎてしまったが、彼がよく行く北口からすぐ近くの「そば遊彩大松」で昼食した。僕も北口ではここしかないと思っている蕎麦屋だった。これからは長い付き合いになるだろうとほくそ笑みながら、でもこの研究会とは相当専門が違うな、と思った。

実は僕の自宅と彼のマンションは、淵野辺駅をはさんで南口と北口から、ともに歩ける距離にあった。次回は、僕の書斎で僕が集めた「イギリス小説の父」と呼ばれたフィールディング、リチャードスン、スモーレットのレザーバイディング（革装丁）の初版本のコレクションを肴にして一献傾けたいですね、ということで初対面は恙なく終了したのだった。

恐らく、僕をどうしてよいか、川西さんも困ったことだろう。変な話になるが、彼から僕にこの研究会の入会の誘いもなく、僕自身も入会したいと言った覚えがない。この点、彼は実におおらかな人だった。ただ、研究会のニュース等が郵送されてきており、僕もこれは面白そうだ、と思ったのだけ参加させてもらった。言ってみれば、つまみ食い作戦であった。何の前触れもない、まさにゲリラ的闖入者。でも、帰りは、市ヶ谷駅から淵野辺駅まで、悠に一時間余り、たっぷり話ができた、それで足りない時に、淵野辺駅近くの飲み屋が役に立った。

やがて、というか、いつの間にか、若い研究者の中から客員研究員として参加してもらうために、彼らの研究発表の選考委員に依頼され、僕で良ければと手伝うことにした。現在も続いているが、将来性のある若手研究者と出会うのは結構面白い仕事である。それにしても、ときたま、実際に研究員選考基準に関して、川西さんと見解を異にすることもあった。だがそれも、帰りの電車の中での「オタノシミ」の題材だった。

ところで、僕がちょうど三五歳くらいの時、書評専門週刊紙である『図書新聞』の社長に頼まれて編集顧問をしたことがあった。当時、『日本読書新聞』『週刊読書人』を含めて三紙の書評紙が各々特徴を生かして切磋琢磨していたころだった。『図書新聞』には、週二回の法政大学出校日に合わせて、神田神保町の会社に出かけた。僕が始めたのは、他の二紙がやっていない「ゲラ書評」だった。出版社から新刊予定の最終段階の「校了ゲラ」を提供してもらい、それを書評者に渡してなるべく早めに書評を書いてもらう。新刊書が書店陳列とほぼ同時にその書評が『図書新聞』に載る。一般論になるが、新刊書が出版されてから二か月くらい経過して新聞等にその新刊書の書評が載るのが通例である。となると、新聞の書評を読んで書店で探しても、現在の書籍の販売システムからして、すでに書店にはその新刊書が陳列されていない。こうした新刊書と書評のタイムラグを解消させるために考案したのだった。自分で言うのは少々おこがましいが、「ゲラ書評」は画期的な企画だったはず。こうしたことが5年位続いたようである。それで昔のコネで、川西さんを『図書新聞』に紹介した。とにかく、広告がらみになるが、できれば一面を独占する。基本的には、「ゲラ書評」方式で進めること、そのために書評を書く執筆者を用意すること、であった。どうも彼はちゃんとやっていたようだった。とても満足していたようだったからである。「いま思えば」、といった月並みな常套句を避けたいと思うが、管見であるが、川西さんは、自分が目標と考えてきたことをほぼ到達できたように思う。最大の功績は、「桜美林大学北東アジア総合研究所」を発展させて「アジア・ユーラシア総合研究所」を創設したことでしょう。そして、若い研究者に、研究する場を提供したことであった。文科省の無知・無策の改悪のために、文系の大学院生の就職口が地に落ちている。しかも、新規採用の助教（旧助手）、准教授（旧助教授）の場合、在職五年という枠をはめてしまっている。理系の方も、研究上、こうした五年枠を撤廃してほしいと京大の山中伸弥教授も訴えているが、文科省はいまだ聴く耳をもたない。実はそれだけではなく、誰の指図であろうか、一九九一年に大学設置基準が全面的に改訂され、カリキュラムの大綱化が打ち出された結果、すべての大学から「教養課程」が消失し、「専門課程」だけとなり、従って、東大の「教養学部」以外、全国の大学から「教養部」が廃止されたのだった。いわゆる「教養部潰し」である。常に「国際化」を標榜する文科省の強い指導で大学での外国語教育はいつの間にか「実用英語」だけになってしまった。つまり、第二外国語が「必須科目」から「選択科目」に落とされてしまったのだ。それまで、ヨーロッパの主要国の文學、歴史、社会、文化などの研究は、おしなべてこうした国の言語を担当している教師たちが担ってきた。彼らが少しずつ大学から静かに去ってしまっている。これではヨーロッパの基本的な人文学がわが国から消失することになりかねない。勿論、これらの研究を継承する若手研究者もいなくなるはずであり、明治時代から連綿と蓄積してきたヨーロッパを基盤とする人文学の学問的な成果が間違いなく泡沫と化してまうだろう。

ちなみに、現在、ヨーロッパの人文学を講座として開設しているのは、恐らく旧制7帝大文学部だけであろう。それでも、ギリシア、ローマは古典学だから例外としても、例えばイギリス、フランス、ドイツの哲学、歴史学、芸術学、文学をきちんと、せめて1講座ずつでも揃えているだろうか。英文科を例に挙げてみたい。我が国には明治初年以来イギリス文化を嚆矢として、イギリス文学の受容と研究の伝統があった。明治以来の日本の近代文学を担ってきたのは、まぎれもなく英文学者である。英文学プロパーでありながら、著名なシェイクスピア学者である坪内逍遥を先達として、夏目漱石、芥川龍之介、正宗白鳥、国木田独歩、直木三十五、横光利一、石川達三といった錚々たる作家を輩出したのだった。ところが、ここ十数年来、我が国では英文学の教育と研究が次第に削り取られているようである。もっとも典型的な事例として、旧制7帝大文学部からすでに英文学科という名称は消えており、それより小規模の英文学専攻科がかすかに残存しているようである。

また果せるかなというべきか、明治三十一（一八九八）年に創刊された我が国唯一の英語・英文学者向けの学術月刊誌『英語青年』は、あの「日本の英語・英文学の最大の受難期」だった太平洋戦争期にも断固として休刊しなかった――ちょうどそのころ、東京帝国大学文学部英文科の英語学者市川三喜教授と英文学者中野好夫助教授のかなり続いた大論争も売りものだったと思う――それほど反骨精神旺盛な学術雑誌だったが、二〇〇九年に休刊となった。その後、『Ｗｅｂ英語青年』となり、それも二〇一三年三月でそのウェブも終了してしまった。それでも、前述したごとく、文科省のおかげで大学教育科目には「実用英語」が残存している。勿論、英文法は不要、というよりはタブーとなっているという。どんな授業か、名称を挙げないが、都内の大手の私大では体育館内に机を揃えて一挙に大勢の学生に英語教育しているという新聞記事を見た。また同じく、都内の私大で、シラバスにアルファベットをきちんと教えると記されているので、テレビ局の記者がそれを確かめるために尋ねると、返答したのは理事長だったと思うが、その通りだとの返事だった。いやいやというところだ。

我が国の教育全般に責任を担う文科省は一体こうした大学の現状をどう見ているのだろ

うか。確かに、ＡＢＣの読み方や順序をできないまま、大学を卒業して社会に出て間違えたら大変なことになるから、教えなければならないと大見えを切るのも結構だが、大学というところはそのようなことを教える場なのか、私大といえども税金による大学助成金が使われているのだ。こんな授業を担当させられる英語教師もたまったものではないはず。これはＣＩＡの謀略だなどと冗談を飛ばす気の利いた連中もいたが、もうそんな悠長なことを言っていられないはず。「大学教員の人権宣言」を発表する時期だろうと思う。

つい先頃、大学入試の英語統一テストを任された民間会社が、文科省の売り物の長文解釈の採点者としてバイト大学生に任せたいと発表して、文科省が顰蹙を買った茶番劇があった。年に一冊も本を読んだことない無知と怠慢な大学生に英語の入試採点を任すとは。その計画が中断することになった。当然である、だが、政府か文科省か忘れたが、この入試テストの準備をした民間会社に損害賠償として、五億四千万円を支払うとのたまうのだ。これ、国民の血税である。今、こんなことに税金を使う余裕があるのか、といいたい。しかも、民間会社といっても、今や寄る辺なき英語屋さんの会社である。こういう会社と文科省の役人とのあいだに癒着関係があるのではないか。それにしても、僕らの時代は、自分の大学入試問題は秘密厳守のために部外者を入れず自分たちだけで作問していた。採点も然り。といっても、現在の文科省が随喜の涙を流すような英文和訳・英作文といった手採点が大部分であり、厳密な採点基準を策定して入試に関係のない学科の教師の応援もあった。どうしてこんなこと、現在の大学教員が文科省に主張しないのか。不思議である。

川西さんは、こういう信じられない悪条件の真っ只中で文系の院生たちに客員研究員の資格を与え、それによって研究と自信と矜持を獲得するチャンスを与えたのだった。僕もいろいろな大学に直結している人文系の研究所と関係を持っていたが、それらは専任教員や非常勤講師のための組織であり、大学院生に門戸を開けているのは、このＡ・Ｅ研究所だけであろう。今や、人文系の大学院には院生が集まらなくなってきているが、川西さんは、近い将来、我が国の人文学は壊滅するだろうといった危機意識が働いていたのではないだろうか。そのためか、客員研究員の中でいい仕事、あるいは博士論文なども、Ａ・Ｅ研究所から著書としてどんどん出版していた。

川西さんとは残念ながらこのような深刻かつ重大な話はしたことはなかったが、川西さんも僕と同じことを考えていたのだろうと思う。とにかく、川西重忠さん、本当にご苦労様でした。あなたの遺したものが今後ますます大きな実を結ぶことになるだろうと信じております。

追想

先生との二つのご縁

全日本空輸㈱中国室担当部長　秋保　哲

先生はお一人で佇みながら「やあ」と明るい表情で手を振られていた。今でもその笑顔は忘れられない。二〇一六年九月の東京ビッグサイト西棟における東京国際ブックフェアでの一コマである。会場には桜美林大学のコーナーがあり、そこで先生は「店番」をされていたのである。

先生に初めてお会いしたのは、二〇一六年二月だったと記憶している。教え子である数名の学生の皆さんと、私が勤務する会社の大橋洋治相談役を訪ねてこられた時のことである。そのご訪問は先生が「日本の経営者」という講義で大橋相談役についてお話をされていたことに端を発していたが、偶々同席できたことは幸運だった。先生の暖かいお人柄とそこに秘められた情熱は直ぐに感じ取れた。その後、時々メールをくださるようになったが、私が返信するとそれに対して必ず心のこもったお返事をいただいた。先生は人間性をとても大切にされており、日本企業の発展の裏には、人として素晴らしく、社会的使命や信念に基づいて行動する経営者たちがいたことを見抜いていらしたのではないかと思う。

先生とのご縁はもう一つある。私の大学時代の恩師である故中嶋嶺雄先生の顕彰事業である。中嶋先生は現代中国論の碩学で、東京外国語大学の学長をされ、その後秋田の国際教養大学の開学に係わり、初代学長も務められた。二〇一三年二月に中嶋先生が亡くなられた後、顕彰事業の推進を目的に、我々ゼミのOBで「中嶋嶺雄研究会」を立ち上げた。「研究会」での最大の事業は追悼著作集の出版であったが、その引き受け手を見つけるのに難渋していた。そのような中で出版を快く引き受けていただいたのが、桜美林大学北東アジア総合研究所（現(一財)アジア・ユーラシア総合研究所）であり、川西先生であった。その後の「研究会」主催の公開フォーラムでも大変お世話になった。第一回から四回まで会場として同大学の千駄ヶ谷キャンパスを利用させていただき、その成果をまとめたブックレットの出版も同研究所にお願いすることになった。先生には心から感謝いたしたい。

話は戻るが、前述のブックフェアで、先生は中嶋嶺雄追悼著作集が会場に置かれていることを紹介されつつ、その年が先生の最後の講義であった「日本の経営者」を受講していた学生が大橋相談役との面会をどれだけ楽しみにしているかを熱心に語られていた。その後面会は無事に終わり、先生から丁寧なお礼のメールを頂戴した。それに対して私から返信したところ、次のようなお言葉をいただいた。

「中嶋先生の御縁をビジネスの面でも感じることが出来たのは私にとっても忘れられない体験です。こちらこそ良い出会いをありがとうございました」。

（和光大学非常勤講師）

〝死線を越えて〟を架け橋に

日本生命保険相互会社相談役　岡本　圀衞

川西先生が逝かれて早や二年。惜しい方を喪いました。先生はまさに大の碩学でして、浅学の私は、本当に多くのことを学ばせていただきました。

企業経営であくせくしていた私に、見知らぬ方からの手紙が舞い込んできたのは、かれこれ八年前。日本経済新聞の〝リーダーの本棚〟という欄に私の駄文が掲載されたのがきっかけでした。その方が川西先生でした。私の挙げた作品をことごとく先生、気に入られたとのこと。とりわけ、賀川豊彦氏の「死線を越えて」を私が挙げたことにびっくりされたようでした。今では埋もれてしまっている大哲学者、社会事業家・・・そして桜美林大学の創始者というのは、その時に知ったのですが、幅広く、そして深く、世の為、貧しい人のため身を投げうって尽くされた賀川氏の生き方は、私を奮い立たせたものでしたが、そうした私の気持ちにすぐに反応されたのが、川西先生でした。

それ以来、お付き合いが始まり、会社にも何度かおいでになりましたが、会えばいつも文学論で一時間。洋の東西を問わぬ先生の学識は大変なもので、その深さには常に唸らせられました。時には学生さんを連れてこられて、二人のやり取りを聞かせる・・。後日、その学生さんの感想文をお送り下さいましたが、まさに生きた教育を学生に与えたい、という強い信念と愛情をもたれていたのだと思います。その後も河合栄治郎氏や、中嶋嶺雄氏のお話で弾みましたし、忘れられた、しかし多くの足跡を残された方々の素晴らしい貢献を楽しそうに話されていました。

その後先生は、賀川豊彦著作選集の発刊を思いつかれたようです。今時、採算がとれるのかなアと経営者として勝手な心配をしたものですが、先生の意思は固く、ついに堂々大冊五巻にも及ぶ著作選集を世に出しました。そこには、何としても賀川豊彦を現代に蘇らせ、多くの人に知ってもらいたいという熱烈なる想いがあったのだと思います。この発刊を記念して、市ヶ谷の私学会館でシンポジウムが開催されましたが、私もスピーチを依頼され、壇上に立ちました。共存共栄、利他の心など、私の勤務する生命保険会社の経営哲学が賀川豊彦氏の思想に大変近い点について、お話したことを覚えております。

中国、北東アジアを中心に様々な本を相次いで出版され、私もそれぞれ目を通して意見を交わしたものでしたが、そうした文芸を通じての親友ももうおられません。往年を懐かしみ、心からのご冥福をお祈りしつつ、筆をおかせていただきます。

川西重忠先生の御逝去を悼む

SBIホールディングス㈱代表取締役社長　北尾　吉孝

川西重忠先生には、私どもSBIグループが開校したSBI大学院大学で二〇一八年春学期から「近代日本の代表的経営者論」という科目をご担当頂き、オンライン講義という形式で教鞭を執って頂きました。講義では川西先生の卓越された人物眼で、日本近代の代表的経営者を中心とした人物学を講じていただき、「講義を通じて新しい気付きを与えてくださった」など学生から大変好評だったと聞きます。学生から提出されたレポートに対してはご丁寧な総括講評をしてくださり、また川西先生は教職員と学生の懇親会にもよくご参加くださって、SBI大学院大学の学生を非常に高く評価してくださっていました。

残念ながら一九年春学期は川西先生が体調を崩されて休講となり、一九年秋学期は途中から川西先生がご紹介してくださった十名直喜先生が講義を引継がれました。川西先生にはSBI大学院大学に様々な御力添えを頂き、改めて心から敬意と感謝を捧げる次第です。

また、川西先生は戦前の日本を代表する自由主義者・教養主義者であり社会思想家である河合栄治郎さんに関するご著書も残され、河合先生の思想を現代に伝えていこうと精力的に取り組まれていました。現代社会に必要とされるような人物の哲学を再び世に出していく、現代でもその思想に触れられるようにするということは、私は一つの大変立派なお仕事だと思います。また、川西先生は安岡正篤先生の道統に連なる方々の薫陶を強く受けられ、『郷学　平成30年秋号』に掲載されていたインタビューでは、川西先生が創設された一般財団法人アジア・ユーラシア総合研究所のモットーを「この社会に人材を残し、よい文化を継承していきたい」と述べられていました。そして継承していくものとして「道徳・倫理を確立して人格の完成を目指すこと」と仰っておられ、川西先生の様々な活動に貫かれている強い想いを感じざるを得ません。なお、そのインタビューで「ちょうど自分の人生を整理してみたいと感じておりました」という部分が印象的であったことを思い出しました。その時、先生はお身体の調子が悪いのかなと心配しておりましたが、このようなことになり大変残念に思います。インタビューの中では私のことにも触れていただき、ご縁の深さを強く感じておりました。

改めて川西先生の御冥福を心から御祈りすると共に、一般財団法人アジア・ユーラシア総合研究所の益々の御発展を心から御祈り致します。

書香の交わり

澤田　正

川西重忠さん（川西先生というのが筋かもしれないが、会社勤めのとき、私は川西先生を「さん」付けで呼んでいた）とは、私の方が十歳年上だった。川西さんは、学生時代、柔道をやっていたので、体躯は頑丈、健康そのもので、およそ病気と縁がないように見えた。一方、私はといえば、まさに文弱の徒で、体つきからいっても見劣りがした。そんな川西さんが先に逝き、十歳も年上の私が川西さんのために追想の蕪辞をつらねるとは思いもよらなかった。が、今にして思えば伏線はあった。亡くなる半年ほど前、川西さんから突然、新聞の記事や対談録が私の元へ送られてきた。同封された手紙には「一度お会いしたい」とあった。その三カ月後、今度は鳥取名産の梨が送られてきた。川西さんからの戴き物は初めてだったので、不審に思って電話を入れると、お世話になったからとのことだった。今にして思えば、惜別の気持があったのに違いない。

川西さんと私とは同じ会社に勤めていたものの、それぞれ事業部が違うので、何ら接点がなかった。二人を結びつけたのは双方の師、景嘉先生であった。先生は、清朝八旗（清朝の支配階級）の家柄で、祖先は武人だったが、代が下がって書香の家柄になった。父親は挙人だった。先生の家もそうだが、由緒ある家では、幼いころから学者を家に招いて、子供たちに古典の素養を身につけさせていた。清朝が倒れると、先生は二つの革命を逃れ、流れ流れて日本にたどり着き、在野で古典を教えていた。そうした経歴をもつ先生からそれぞれ、川西さんは新橋のアジア問題研究所で周易を、私は虎ノ門の東亜学院で、現代中国語の講座のはずなのに、なぜか老子を学んでいた。その後、私は先生の家まで押しかけて史記や漢書を読んだ。

川西さんと私とは、思想の点で相容れないところが多々あったが、互いの領域に踏み込むことはなかった。それを雅量というか遠慮というか。ともあれ本好きということでは一致しており、信頼といっていいだろう、互いに通じるものがあった。

川西さんは、一言でいうと型にはまらない、スケールの大きな人間だった。先生曰く、日本では理解されないが、川西君は中国人にはよく理解されると。相手の名声や肩書がどうであれ、誰でも何処ででも会う接し方は、到底私などの及ぶところではなかった。

交際の広さはずぬけており、その交わりが川西さんの人生に大きな糧になった。後に、川西さんは「当代一流の人たちと身近に接し、学問的な薫陶を受けることができた」と述懐している。そんな川西さんの人生は真に幸せだったといえるだろう。

驚愕の再会

矢野　清嗣

私が川西先生と知り合ったのは彼がＮＣＲ時代昭和五九（一九八四）年で彼を中心に郵政省、流通関係、メーカー、問屋、メディアなどの仲間と「商業文化研究会」を設立し定期的に勉強会が行われ、「情報化社会と商業文化」の冊子を発行。その冊子に私の高校時代からの友人故高橋順一君（桜美林大学国際学部教授）の特別寄稿も掲載されました。

その後、川西先生が三洋電機に転職し音信が途絶えましたが、彼と再会したのは「北東アジア総合研究所」設立直前で彼が「ドクター・肥沼信次」についてＮＨＫラジオ、新聞等で活躍しているのを知りましたが、川西先生がまさか高橋君と同じ学部で仕事とは驚きました。何か縁があるのですね。その時期に私が会津若松に仕事があり、福島県郡山駅で磐越西線会津行車中で発車を待っていたら眼前に川西夫妻が通りすぎました。その折、大声で「川西さん」と呼び止めました。まさに約二〇年ぶりの再会でした。ご夫妻で「野口英世の記念館」に行く予定でした。

新宿に研究所設立後はセミナー等に参加し多くの人に出会い大いなる知識を得、五〇～六〇歳代を知的後退もなく過ごせました。特に私は流通関係ですので故堤清二氏の講演は忘れられない思い出になりました。両氏を失たっことは研究所にとっても大きな損失ともいえますが私にとっても言い切れない悲しみです。

多くの事を学べた事に感謝いたします、本当にありがとうございました。

北東アジア研究所からアジア・ユーラシア総合研究所への軌跡

桜美林大学　大越　孝

川西先生と私は、偶然にも同じ昭和二十二（一九四七）年生まれです。川西先生との出会いは先生が平成十五（二〇〇三）年、桜美林大学大学院客員教授として就任された時に始まりました。

私の第一印象は、物怖じするところ無く、また自由闊達な教員でした。初対面でも、以前から知り合いであるかのような親しげな会話で人を魅了する天性を備えた大学教員らしからぬ側面を持っていました。その背景は、大学卒業後、海外駐在も含む民間企業での三十年近いキャリアが、川西先生の社交的な才能を開花させたのだと思います。

大学院教育・学部教育に於いても、多くの外国人留学生がゼミや論文指導等教えを請うて川西先生の下に集まっておりました。桜美林大学の建学の精神であるキリスト教主義教育に基づく国際人育成を大学教育において、実践されておりました。

平成十七（二〇〇五）年から、川西先生のライフワークの前身となる「桜美林大学北東アジア総合研究所」を設立して、研究活動を本格化することになりました。通常の学内研究所は、学内教員や大学院生を中心としたいわば内向きな研究所が多い中、川西先生は、学内の大学教員に加えて、企業経営者、他大学の大学院生、本学・学外の外国人留学生等、多彩な研究者集団による、伝統的なアカデミズム研究と異なる学外研究者集団を束ねた全く新しく、かつダイナミックな研究所活動を展開しました。

毎月研究会を定期的に開催し、研究発表原稿をベースに書籍刊行物として次々と出版を行いました。通常は、研究書籍は、出版すれば赤字になります。ブック・フェアや書店にも自ら出向いて販路拡大の地道な努力を重ねました。その成果もあり徐々に赤字も解消されてゆきました。このような努力は民間企業での営業経験もいかされていたのです。

桜美林大学定年退職後は、北東アジア総合研究所をベースに一般財団法人アジア・ユーラシア総合研究所を谷口誠先生達と共に立ち上げ、民間研究所としての新たな研究拠点でのライフワークとして桜美林大学在職時以上に精力的に活動を本格化させ、軌道に乗った矢先、ご逝去された事は残念でなりません。

今般、川西先生追想集刊行委員会編集委員会の皆様のご尽力により、『川西重忠追想集』

が刊行する運びになったのも、川西先生がこれまで残された研究集団が川西先生のご意志を継承して行く、スタート・ラインとなります事を祈念しております。川西先生のこれまでのご功績に対し改めて感謝と哀悼の意を捧げます。

隣人へのお心配り
――川西先生の思い出――

桜美林大学　小野寺　三朗

川西重忠先生は桜美林大学教授・北東アジア総合研究所（以下「北東アジア研」）所長として淵野辺 Campus（ＰＦＣ）を拠点に精力的に活動し多くの業績を残されました。ＰＦＣには二〇〇八年に「ビジネスマネジメント学群フライトオペレーションコース」（ＦＯ）が設立・配置され、私は航空気象担当教員としてＦＯに勤務する様になりました。「北東アジア研」と私共は〝お隣り同士〟でしたが、ＦＯ発足から日の浅い頃は挨拶を交わす程度でした。が、川西先生は或る本を上梓した際その一冊をＦＯに寄贈下さいました。その後も先生は上梓の度に寄贈下さり、ＦＯでは毎回それが回覧され、私も毎回拝読の機会に恵まれました。

その様な中で、或る日私は川西先生をお見掛けしたので、お礼も兼ねて感想等をお話させて戴きました。拙い感想にも拘らず先生は耳を傾けて下さり、更にその後の上梓の際には、ＦＯ組織の他に私にも直接一冊届けて下さる様になりました。私の研究室には川西先生編著の本が次第に増え、何時の間にか書棚一段の半分程度が先生から戴いた本で埋まりました。

川西先生編著の図書は何れも私にとって興味深い内容の物ばかりでした。中でも、河合栄治郎著『学生に与ふ』の復刻版とその川西先生の解説、及び『新・現代の学生に贈る』を始めとする川西先生他編著書の数々は、学生向けと言うよりは、寧ろ先ず自身向けの教養書とも言えるものでした。周回遅れの年齢ではありましたが、居ながらにして思想の泰斗の著作を始め未知の世界に触れ親しむ事が出来たのは、僥倖以外の何物でもなかったと思います。川西先生には専門に埋没せず外に眼を向ける大切さも教えて戴いた様に思います。

川西先生は時々、先生の或る講義科目の概要と共に、出席する学生が講義が進むに連れて増えて来ている事や、聴講者数が年々増加傾向にある事、等を問わず語りに私に話して下さる事がありました。その時の先生の表情は学生の反応に対する喜びと学生への期待とで溢れていた様に思います。川西先生の教育者としての熱い思いに触れる思いが致しました。

川西先生はいつも遅く迄執務しておられましたが、冬期休業期間中の偶々私がＰＦＣに顔を出した或る日も、先生の研究室には既に灯りが点いていました。私にとっては例外的な年末の出校でしたが、先生にとっては日常茶飯事だったのかと思います。先生はこの日私に「忙しい時は近くのホテルに泊まる様にしている」とも話して下さいました。経済界を始め様々な分野でご活躍の一流の方々とも幅広い交流があり、研究会を主宰し年に何冊ものペースで出版を続ける川西先生の、その精力的なお仕事の舞台裏の一部をこの日見せて戴いた思いがしました。また、川西先生のお誘いにより思いがけず実現したこの日夕の淵野辺駅前での夕食の一時は、私にとって川西先生との楽しい貴重な思い出となりました。

川西先生には、固くなった頭を解きほぐし逍遥する思索の機会を与えて戴きました。

川西先生の、架電時のＰＦＣ中に響き渡る程の朗々たるお声、堂々たる体躯、温かな眼差しが、今も脳裏に浮かび、懐かしく思い出されます。川西先生には大変お世話になりました。川西先生のご温情に深く感謝し心より御礼を申し上げます。川西先生有難うございました。

川西先生と「日本の経営者」

桜美林学園理事長　小池　一夫

川西重忠先生はとても思い遣りのある優しい方であった。先生にお会いするといつも心がほっと和んだ。本当に掛け替えのない方を失ってしまったという、深い悲しみと言い知れぬ寂しさを未だに感じている。

先生と特に親しく交流するようになったのは、私が副学長になった二〇一二年からであった。先生は、人との出会いを人一倍大切にされていて、そのご縁を最大限に生かして親しく交流を続けるという秀でた才能をお持ちだった。先生が担当されていたビジネスマネジメント（ＢＭ）学群の「日本の経営者」がその人脈の広さを物語っている。その授業に各界の名士をゲストスピーカーとしてお招きして実践的な経験談や社会が求める人材について学生たちに話してもらっていた。この授業の履修生は大半が一年生であったが、入学して間がない学生たちに、人としての生き方や社会との繋がりについて学ぶ機会を与えたことの意義は極めて大きいと思う。

先生はその機会を私にも与えてくださって、二〇一六年十月四日に太平館レクチャーホールで、学生たちに望むこと、期待することを話すことができた。火曜日四時限目のこの授業で三〇〇人以上の履修生が大ホールを埋め尽くしていたが、授業中、私語や居眠りをする学生はほとんどいなかった。先生の優れた指導振りに感服した。先生は毎授業の終了一〇分前にリアクションペーパーを学生に書いてもらっていた。そのコピーをゲストスピーカーに手渡して「これは良い、わが意を得ていると評価できるレポートがあればしるしをつけていただけますか。（一〇名位、できれば来週月曜に）」（川西先生から頂いたメールより）と依頼し、その結果を次の授業で学生たちに報告しておられた。そのために学生たちは真剣に講義を聴き、リアクションペーパーを書いていた。先生は事前にその講義を見に来るようにと誘ってくださった。先生は単に学問的な話に終始することをせずに、人として、学生として学んでおくべきことを、熱く学生に語り掛けておられた。

また同年九月にＢＭ学群教授会で、私の教育観について話す機会があった。質の高い魅力的な講義を行うように努めることは無論のこと、常に人間性豊かな学生を育成することに心を砕き、学生が真に求めていることを敏感に感じ取ることが大事ではないかという趣旨の話をした。その話をお聴きくださって、翌日、川西先生から次のような心温まるメールを頂いた。「私の講義で年間六〇〇名の受講者がある「日本の経営者」の講義は実はこの方針でこの五年間講義を続けてきました。私のこの講義の狙いは一貫して、学生たちにこの講義を取ってよかった、桜美林に来て良かった、と思われる授業を目指してきた五年間でした。誰も評価しなくてもという思いで孤軍奮闘でよいと今まで考えていましたが、昨日の小池先生のお話を聞いて一〇万人の援軍を得た思いがしました。今の桜美林の学生がまずできることを教員と大学が意識してやることです。(中略)昨日は、白分の方針でやってきてよかった、と説明と応答を聞き、実感しました。昨日の小池先生のお話は、恐らく私同様に、多くの教員それぞれが似たような思いで聞いたのではないかと思います。」

川西先生から賜った数々のご厚情に感謝し、心からご冥福をお祈りいたします。

仁の人　川西重忠先生

昭和女子大学助手　佐藤　里咲

川西先生とのご縁は、私が高校三年生の時に桜美林大学のＡＯ入試を受験した時から始まりました。町田駅で偶然すれ違った面接官の川西先生に、桜美林大学へ入学する旨を一言伝え、挨拶させて頂いて以来、私は川西先生のおそばで経営学を学ばせて頂くかたわら、研究室や研究会等で秘書役的なお手伝いをする機会をたくさん頂きました。先生のお手伝いをさせていただくことで、私は人としての在り方（礼儀や思いやりにつながる「仁」についていて）を学びました。川西先生は、私たち学生に「世のため、人のために」という教えを、いつも説いておりました。川西先生は、時には学生のために厳しく教える方でしたが、学生や同僚の先生方のために自分でパンを焼いたり、甘いお菓子などを分けてくださるような優しいところのある方でした。

川西先生ご自身も実践されていた「世のため、人のために」という考え方は、儒教思想の「仁」の理念によるものだと思います。川西先生を偲び、川西先生と過ごした日々を振返り、「仁」とはどのようなものかを、この機会に改めて考えてみようと思います。こうすることが、川西先生への何よりのご供養となるような気がいたします。

『新選国語辞典』(小学館)によれば、「仁」とは「儒教で説く最高の徳」であり、『新明解国語辞典』(三省堂)によれば、「人間関係、特に相手の立場を重んじる心的態度」、また『明鏡国語辞典』(大修館書店)によれば、「他を思いやり、いつくしむ心」と書かれております。これら三冊の辞典での説明を踏まえ、私は「仁」を「物事が生じる際に相手の立場になって、心情を考え、行動することだ」と捉えました。

この度の川西先生を偲ぶ文章を書くにあたり、川西先生のお人柄や人格、その行いは、どのように表現したら良いのかを考えてみますと、真に川西先生は私が捉えたこの「仁」の意味する人そのものではないかと思えてなりません。

私は、普段、「仁」という言葉をほとんど考えたりはしないのですが、高校生の時に漢文の授業で受けた『論語』が川西先生の本棚にあったことを思い出します。『論語』は孔子が弟子に「仁」についての教えを説いたものと言われています。『論語』を読むと「子曰く…」という書き出しが多く、孔子が弟子に教えを説いていることが伺えます。川西先生の本棚に『論語』があったことにより、川西先生ご自身も『論語』を通じて得たものが多くあったように思えます。川西先生の人となりを一言で表すとすれば、「仁」そのものであると思います。『論語』の中にあって目にはみえない「仁」と川西先生の行いはそっくりそのまま結びつきます。

川西先生は人の吉報を素直に受け止め、共に喜んでくださる方でした。例えば先輩の会社設立や私の大学院進学というような事を自分の事のように喜んでくださりました。川西先生は、学生に対しても誰に対しても変わらず「仁」の心で接する優しい方でした。川西先生、先生とのご縁は忘れません。川西先生とのご縁をいつまでも大切にしていきます。

川西先生の授業と私の今

㈱ピースカルチャー代表　角田　遥奈

私が川西ゼミに入ったのは二〇一四年の大学二年生の時でした。川西ゼミには中国やモンゴルなどの様々な国からの留学生が半数を超える国際色豊かなゼミでした。ゼミの授業で川西先生が口癖のように言っていたことは、経営者として成功するためには、優れた経営能力の他に「人柄、人徳を積むことが重要」ということでした。先生は、講義授業では「日本の経営者」という専門科目を担当しておられました。この授業は、経営者の人物にフォーカスした内容で桜美林大学の授業の中でもベストスリーに入るほどの人気の授業でした。例えば、松下幸之助や稲盛和夫の幼少期から青年期の下積み時代や人柄などを、まるで自分のことのように先生は情熱を込めて語ってくださいました。そうした先人たちに加えて、現在も一線で活躍している経営者を授業に招いて実践的な話を学生たちに聞かせてくださいました。川西先生の幅広い人脈のおかげで、この授業の度に私たちゼミ生は、様々な業種の経営者の方々と直接にお話をする機会を持たせていただきました。

また、ある時には先生とゼミ生数人と新橋駅で待ち合わせて、会社訪問をしたこともありました。駅直結の高層ビルの中の綺麗なオフィス、高層階の受付の先には見晴らしの良い応接室があり、そこで当時のＡＮＡの相談役大橋さんのお話を伺う機会など貴重な場をセットしていただきました。国内では、トヨタの工場、ブラザーの工場見学などをゼミ生のメンバーと足を運びました。国外では、韓国で浦項製鉄所やソウルジャパンクラブでの出版記念パーティーへの参加など、今振り返ると学生には勿体無いほどの貴重な経験を、数えきれないほどさせていただきました。

先生は学生たちに実際にビジネスに触れる場も与えてくださいました。私がゼミに入って間もない頃、川西先生から卒業後はどうしたいか聞かれると私は「自分で着物のビジネスを起こしたい。」とお伝えしていました。実際に、私は大学入学後に学生に向けて着物での散策イベントの企画や着付け講師の師範資格の取得など着物に関する活動を行っていました。好きな着物でビジネスを起こしたい、でも今の自分には何から始めたら良いかわからない。当時の私は着物で起業するという想いが定まっていても、それをどう形にしたら良いかわからない状態でした。そうした時に、「日本の経営者」の授業で呉服企業の社長をゲストスピーカーとしてお招きすることがあり、ゼミ生である私は、講演後に川西先生の研究室で社長をご紹介いただいたことがきっかけになり、学生運営の着物ショップを運営するプロジェクトを立ち上げることができました。その「桜美林きものプロジェクト」では、学生たちが自ら校内でのイベントを企画し、同時に町田市の商業施設で半年間着物のお店を経営するというものでした。このように、国内外での企業訪問や、実際に着物店の経営を体験できるプロジェクトなど、今の私のビジネスに直接に繋がる土台を学生時代に作ってくださったのは川西先生でした。

大学を卒業して、私の会社も三期が終えました。この三年間、経営に身を置いて様々な経営者とも出会い、改めて感じたことはプレゼンやスピーチのスキルももちろん重要ですが、人の心を動かすのは熱意、そしてその人の人間的魅力と、卓越したオリジナルな着想力だということ。当時はあまりピンときていませんでしたが、最近はつくづくそう感じます。ビジネスは、うまくいくことばかりではありません。起業したての頃もそうでした。何かにチャレンジをしようとする時、いつも壁に当たります。その度に先生の言葉を思い起こして、今まで頑張ることができました。

川西先生自身が「経営者は人間性を磨き、人徳を積むこと」を目指し、実践されていたように思われます。これからの長い道のりを、恩師の信念である「経営者は人間性を磨き、人徳を積むこと」を私の座右の銘として、胸に深く刻み、先生にならって私も生涯を通して、厳しく自己研鑽し続けたいと思います。

『女性100名山』のご縁に感謝して

桜美林大学教授　馬越　恵美子

「久しぶりですね。お元気ですか?」

桜美林大学町田キャンパスで校庭に面した廊下ですれ違った川西先生は、私にこう微笑みかけてくださった。

「はい、なんとかやっています。先生は?」と私が答えると、先生はすかさず、こうおっしゃった。

「元気ですよ。それより、この間、異文化経営学会の会員メーリングリストで案内してくれた、あなたのエッセイ、すごくいいですね。あれを本にしませんか?」

「え?本当ですか?ぜひぜひお願いします!」

この数分のやりとりで生まれたのが、『こんな生き方　女性100名山』という本である。先生が所長を務められた桜美林大学北東アジア総合研究所が出版してくださった。先生の即応即決に脱帽である。

さらにこの決断が素晴らしいのは、私情を越えているからである。実は先生と私はけっして仲が良かったわけではなく、院生の論文指導を巡って対立したこともあった。そんなわけで、正直、私は廊下ですれ違ったとき、軽く会釈して立ち去るつもりだった。それが、先生のこのひとことで、私の心は氷解してしまった。なんと広い心なのか、そしてなんと大きい度量の持ち主でいらっしゃるのか。

話は決まったものの、その後の出版までの道のりは平たんではなかった。ここでも先生の人間力を存分に発揮していただくことになる。そもそもこのエッセイ集はNPO法人JKSK理事長の木全ミツさんとその仲間が女性たちに自信をもってリーダーになってほしいという願いを込めて立ち上げたプロジェクトがベースになっている。自らの道を開拓した女性たちのエッセイを集めて定期的にネットにアップし、徐々にその数を増やし、一〇〇名を目指していたその途中であった。したがって、この書籍化のオファーに関しては当初、懐疑的な見方もあった。それでもJKSKの幹部たちも川西先生にお会いするうちに、次第にその人柄に魅了され、ついに先生は見事に女性たちの信頼を勝ち取ったのである。私はそれを目の当たりにして、先生の器の大きさ、そして粘り強さに感動したものである。

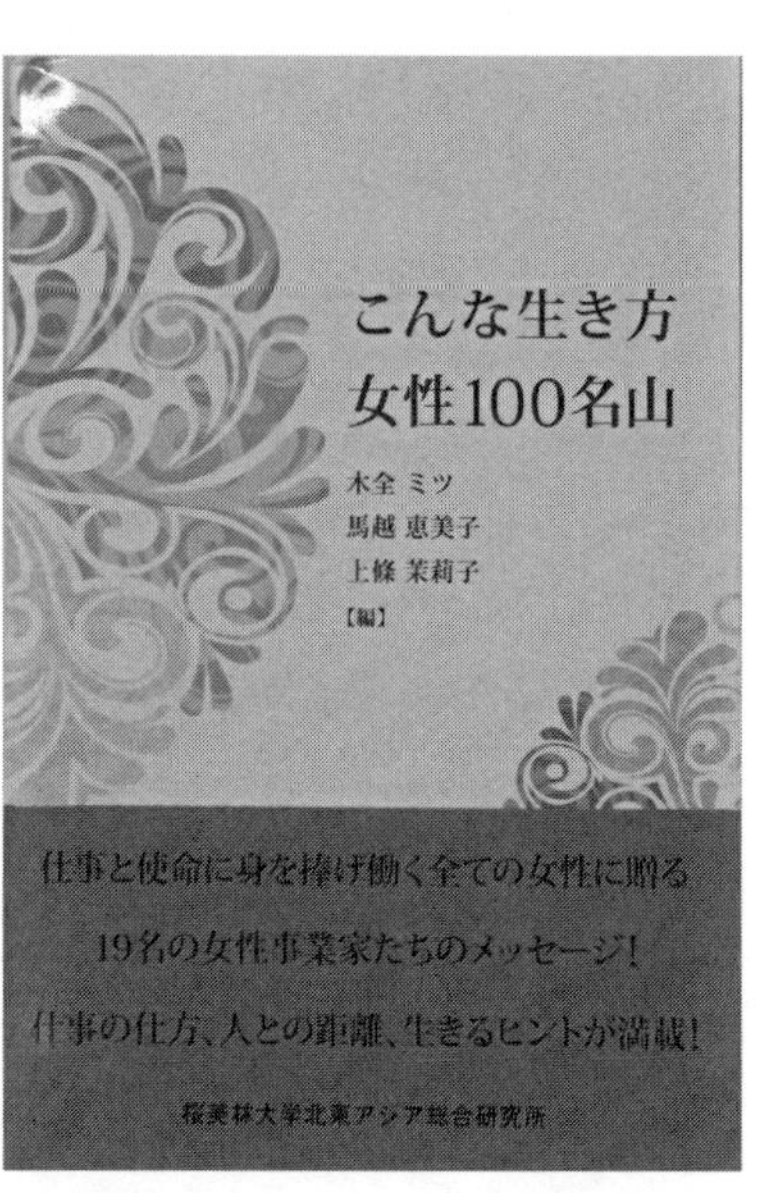

二〇一六年に晴れて出版されたときの祝賀会のことである。先生のスピーチに続いて、私も言葉を述べさせていただいた。先生は大層喜ばれて、「すごくいい話でしたよ。あなたは本当に成長しましたね。」と褒めてくださった。きっと先生は未熟な私をずっと見守ってくださっていたのだなあと思い、涙が出た。

もう一度、先生にお会いしたい。そして先生にこう、お礼を申し上げたい。

「おかげさまでこの本を読んだ学生たちがすごく励まされていますよ。きっとその中からリーダーが生まれるでしょう。先生と廊下ですれ違ったあの日のことはけっして忘れません。先生、本当にありがとうございました！」

北東アジア総合研究所

㈱エデュワードプレス　藪　翔太

川西先生との出会いは、私が大学院時代（二〇〇五年）に先生の授業を受講していたことから始まりました。

その時、川西先生が北東アジア総合研究所を立ち上げたので、お誘いを頂いて、参加しました。「トップと語るリーダー論」は業界のトップの方が集まって、月に一回ぐらい講義がありました。私の覚えている範囲でも、

・ＡＮＡ相談役　大橋洋治氏
・早稲田セミナー創業者　成川豊彦氏
・帝国ホテル前会長　藤井寛氏
・アシックス創業者　鬼塚喜八郎氏
・イエローハット創業者　鍵山秀三郎氏
・資生堂特別顧問　弦間明氏

など、錚々たる面々で、普段お目にかかることのない方々を間近でお話を伺うことができたのと、このチャンスを逃してはならないと、恐れ多くも私はどの回でも一つ質問をさせて頂きました。

当時学生で、私の拙い質問に対しても、いずれも真摯に答えて頂けた事と、お話をうかがえたのは今でも私にとってはかけがえのない貴重な財産です。その後も居酒屋で川西先生をはじめ、諸先生方からざっくばらんに色々なお話を伺えたことも今の社会人を生き抜く自分を形成している大きな要因です。私が社会人になっても、正月には毎年、先生の自宅にお誘いを頂いたり、学会にもお誘いをいただいたので、できる限り参加して、川西先生のゼミ生とも色々とお話ししていました。のちに、新渡戸国際塾の関係の学会で谷口先生とご縁を頂けた事も川西先生に感謝しています。

川西先生の様々な実体験のお話を伺うことで自分の視野は広がり、自分が大学院に入って一番良かったことは川西先生と出会えた事です。私にとって川西先生は父親がわりであり、学生時代に川西先生との出会いがなければ今の自分がないと思うのと、もっと色々とお話を伺いたかったのが今の私の正直な気持ちです。

私が川西先生と再びお会いできるのは数十年先の事だと思いますが、それまでに胸を張った人生を送って再会できる事が私の先生から教えられた恩返しだと思って、今を精一杯生きてがんばります!!

追懐「河合栄治郎研究会」

沖縄国際大学法学部教授　芝田　秀幹

あれは、一九九七年のことだったと記憶します。当時、ドクターコースの院生だった僕は、『河合栄治郎全集』（社会思想社、一九六七－七〇年）の編集委員でもあった社会思想研究会の有力会員、吉田忠雄先生の紹介で「河合栄治郎研究会」に初参加しました。やや遅刻しての参加となり、ちょうどカネボウ終身名誉会長（当時）の伊藤淳二先生が報告されている最中でした。で、休憩時に川西先生が僕の所に寄ってこられ、色々会話を交わして是非今後も参加するよう促され、僕も二つ返事で入会を申し出ました。早稲田大学の院生だった松井慎一郎先生も、その場にいらっしゃいました。当時の僕としては、ドクターコースに進学してイギリス理想主義、特に、河合が取り組んだT・H・グリーンに比して日本では（今でも）無名の、グリーンの弟子であるB・ボザンケの政治思想の研究に取り組もう、と意気揚々の心持ちにあったのですが、いかんせん学外の学会や研究者との「他流試合」が実現できておらず、やや心細い思いもしておりました。そうした中で河合研究会、そして川西先生と出会いとても勇気づけられたのを覚えています。

翌年、早速研究会での報告の機会を川西先生が設けて下さいました。一九九八年十一月七日、研究会テーマは「河合栄治郎と理想主義」、場所は国立教育会館でした。僕はまだ二七歳でちょうど母校明治大学の教壇に非常勤として立ち始めたばかりでした。発表題名は「河合栄治郎とイギリス理想主義」、特に河合とボザンケとの関係に焦点を絞って「微に入り細を穿つ」ように調べて報告しました。学外での最初の学会報告となったこの時の緊張感や達成感などは、今でも昨日のことのように覚えています。

二〇〇〇年四月、僕は国立宇部工業高等専門学校に一般科教官(講師)として採用されましたが、その後も研究会には参加しておりました。途中、河合研究会とは別によりアカデミックな研究会として「イギリス理想主義研究会」(現「日本イギリス理想主義学会」)が立ち上げられ、しばらくは両学会に足繁く通っていました。ただ、二〇〇五年に僕が沖縄国際大学法学部に移籍し、博士論文を『イギリス理想主義の政治思想―バーナード・ボザンケの政治理論』(芦書房、二〇〇六年)として上梓したころより、河合研究会からは足が遠のいてしまいました。が、今から八年前の二〇一三年、川西先生が桜美林大学の入試業務で沖縄に出張された折に突如先生から連絡が入り、那覇で夕食をご一緒しました。

久方ぶりにお会いしたその時の全く衰えを見せない川西先生の存在感、パワー、「馬力」に改めて驚嘆し、再び一緒に先生と仕事がしたいとの思いに駆られました。以後、先生は小生に改めて目をかけて下さり、色々な仕事を与えて下さいました。ホントに色々やらせて頂きました。『河合栄治郎著作選集』の編纂もその一環だったのですが、しかしそれが先生との最後の仕事になるとは夢にも思っておりませんでした。本当に残念、無念でなりません。

今、僕は出張で愛知県は蒲郡にある古いホテルでこの原稿を書いています。川西先生に巡り合えた自らの僥倖を痛感し、そして先生から頂いた多大なご厚誼に感謝しながら、河合もお気に入りだったこのホテルからの絶景を眺めつつ先生のご冥福をお祈りしているところです。

川西先生の若い人たちへの思いを胸に

日本大学教授　髙久保　豊

川西重忠先生、あまりに早いご逝去、悔やまれてなりません。呆然とするばかりです。初めてお会いしたのは、元号が平成になった頃、三〇年ほど前でした。実家のある栃木県の足利の財団法人アンタレス山浦国際交流基金（当時）の理事長宅であったと思います。大学院生のときに北京大学に留学したのをきっかけにご縁を得ました。とくに中国における「新儒商精神」にかかわる未熟な拙論に対して、大きな励ましをくださりました。

その後、日本日中関係学会にお誘いいただき、若手として研究発表の機会を賜ったり、宮本賞（学生懸賞論文）創設のおりに学生投稿の機会を賜ったり、さまざまな舞台で成長の機会を作ってくださいました。「一週間後に本を出す。君も三日以内に原稿をくれないか」とお電話をいただき、急いで提出したら「息遣いが伝わるようで感動するよ」の一言。じんと来ました。また、川西先生の呼びかけで組織されるシンポジウムは、先生ご自身が深く尊敬される方々が多く集まっていらっしゃる会合でした。ご自身はたいてい、縁の下の力持ちとして、電話をかけたり、写真を撮ったりと奉仕する役に徹することが多く、人と人を繋ぐことに力を注いでいらっしゃった様子が思い出されます。

川西先生の情熱、とりわけ若い学生たちを応援するお気持ちは、多くの人たちの心の底にいつまでも響いてゆくことでしょう。ある日、神保町を歩いていたら、中国人留学生数名を連れて、熱心に古書街の解説をされているお姿を見かけました。その後きっと、駅近くのお店で、餃子とザーサイをはじめ、料理を卓いっぱい並べ、紹興酒を片手に一〇年後・二〇年後の学徒の夢に耳を傾けていたことでしょう。また、毎年のように学園祭にお越し下さり、ゼミの展示物をご覧になり、学生に数々の貴重なお言葉を賜りました。そのうえ、キャリーバッグから数々の名著を取り出し「君たち勉強しなさい」と気前よく学生に提供されました。さらに、河合栄治郎「学生に与う」プロジェクトへのお誘いを通じ、百名を超えるゼミ生が先生の思いの一部を共有しています。言い尽くせない学恩です。

若い人たちに思いを託して下さった川西先生。次世代のリーダーたちに伝えて下さった渾身のメッセージを胸に、その思いの万分の一を引き継ぐ決意を新たにし、川西重忠先生のご冥福を心よりお祈り申し上げます。本当にありがとうございました。

『学生に与う』と髙久保ゼミ有志

人は過去の中に現在を眺める
——川西重忠先生を偲んで——

髙久保豊ゼミナール22期　長澤　成悟

川西重忠先生、謹んでご逝去を悼み、生前の温かいご指導に対し、あらためてお礼申し上げます。

河合栄治郎研究会をはじめ、川西ゼミと髙久保ゼミの交流会などでもたくさんのことを教えて戴きました。とくに、先生の「忘れ去られている日本の思想家を復活させたい」という考え、そして人格の成長や教育などについて教えて戴いたことにその当時、学生ながらも強い感銘を受けました。

そして、社会人になってからもその教えはわたくしの中で活き続けております。

川西先生ありがとうございました。

川西先生を偲ぶ
――河合栄治郎を通じての出会い――

高久保豊ゼミナール23期　影浦　秀一

川西重忠先生、ご逝去の報に接し、謹んでお悔やみ申し上げます。

川西先生に最後にお会いしたのは、今野由梨社長創立50周年を励ます会でした。もっといろいろお教え乞えばよかったと今でも心が悔やまれます。川西先生とは河合栄治郎研究会でお会いし、その後も先生の主宰される研究会に数回参加させていただきました。

昨年行われた今野由梨社長創立五十周年を励ます会で、私たち高久保ゼミが企画した河合栄治郎プロジェクトの成果である『学生百選「学生に与う」感想文集』とゼミ機関誌第十号を贈呈し、川西先生が高く評価してくださったことを今でも鮮明に記憶しています。

川西先生とは数年間大変お世話になりました。本当にありがとうございました。

川西重忠先生を偲んで

高久保豊ゼミナール24期　髙田　伊織

川西重忠先生のご訃報に接した時、今年もお会いできるものだと思っていた私への衝撃は、言葉には言い表せないほどでした。

川西先生と初めてお話ししたのは、昨年の研究会だったと記憶しております。先輩の影浦、同期の野中と伺った際、厳格ながらも暖かい心を持って迎えて下さり、是非ともこの縁を大事にしたいと思ったことが、昨日のように思い出されます。

弊ゼミ編の『学生百選「学生に与う」感想文集』を上梓できたのは、思い返すと奇跡的なタイミングでした。川西先生が仰った「縦と横の繋がり」、そして「本に残す」ということを達成できただけでなく、それが川西先生の手に渡り、喜んで頂けたのは真に幸福な出来事でした。

今年は後輩が2名参加し、「縦のつながり」の第一歩は達成できました。綿々と続くこの流れをただの「流れ」にしてしまわぬよう、先輩、後輩と共に何が出来るかを考え続けてまいります。川西先生の理念や考えを受け継いだ者たちが、今後も一丸となって進んでいきますので、どうか安心して、安らかにお休みください。

川西重忠先生のご逝去を悼んで

高久保豊ゼミナール25期　髙橋　拓朗

川西重忠先生のご逝去の報に接し、謹んでお悔やみ申し上げます。私白身、川西先生とお会いしたいと思っておりましたが、叶わなかったことが悔やまれてなりません。川西先生が河合栄治郎に触れたのは大学で学ぶようになってからであったとお聞きしましたが、私が河合栄治郎を知ったのも大学生になってからのことでした。とはいえ、私はまだ川西先生のように深く河合栄治郎の思想を理解できておりません。今後も『学生に与う』を読み、そこから学んだことを今後の人生に活かして行く所存でおります。川西先生、ありがとうございました。どうぞ安らかにお休みください。

今の若者がすべきこと

日本大学商学部経営学科　高久保豊ゼミナール25期　川内　皓平

川西先生とのあまりに早いお別れが残念でなりません。心よりご冥福をお祈り申し上げます。

私が初めてお会いしたのは、ある研究会でした。今までにそのような会に出席したことのない私は非常に緊張していました。ゼミの指導教授に連れられながら川西先生に挨拶に行くと、先生は私の方を見ながら「来てくれてありがとう」と静かに力強く伝えてくださったことを今でも覚えています。先生はその研究会の挨拶で、「若い世代が来てくれて本当に感謝しています。今の学生はいろいろなことで忙しいようです。しかし、このような場に出席し、多く人から話を聞き、知識を増やしてほしい」と述べられました。

この言葉が、いまの私の勉強意欲をかきたてる根源となっています。この言葉をさらに言い換えると「百聞は一見にしかず」だと感じています。大学生になり、本やテレビの向こう側でしか見ることができないような人とお会いする機会が今までにないくらいに増えています。その大事な機会で、ただお話を聞いて知識を増やすという時間にするだけでなく、その一つひとつの話を自分視点で考え直したり、なぜなのかといった疑問を持ったりすることでより自分に落とし込んでいけるのではないかと感じています。このようにして、主体性を盛り込んだ内容にすることで、自分の知っていることの復習として、より理解度を増すことができ、また、違う点を学ぶことで広い視野ができるようになると勉強させていただきました。

現在、私は就職活動をしております。企業説明会などに参加し、私自身とはどういう人物なのか、また私の将来はどうしたいのかなどを考える機会が非常に増えました。この今の状況はまさに、川西先生が言われた言葉を思い出して行動すべき時であると感じています。すべてのことを自分に関わることとして考え、「自分ならどうするか」を常に意識しながら、将来像を描いていかなければなりません。

今、この行動から、全て主体的に動くことで、川西先生のような心温かく、そして勉強を心から愛する人間になりたいです。

『河合栄治郎著作選集』発刊の功績

一橋大学名誉教授　田中　浩

川西先生と電話でお話した二週間後に急逝されたことを知り、驚くと同時に心からおくやみ申し上げる。

先生の業績は数多くありますが、最大の功績は河合栄治郎先生の業績の復権に努力されたことである。

現代世界の民主主義を発展させる思想原理は、一つにはヨーロッパ型自由民主主義―リベラル・デモクラシー（ホッブス、ロック、ルソー）―と、もう一つにはイギリス・北欧・ベネルクス（オランダ、ベルギー、ルクセンブルク）型「社会民主主義的」福祉国家論を接合して、新しい政治・社会思想を構築することである。

こうした思想を早くも戦前日本において提起した代表的思想家としては、河合栄治郎東大教授と大正デモクラシー期のオピニオン・リーダーである長谷川如是閑を上げることができよう。しかし、この二人の思想家は、昭和ファシズム期には、超国家主義・軍国主義に反する個人主義者、自由主義者、社会主義者として弾圧され、また戦後には二人の社会主義は、議会で多数を得て社会主義を実現しようとする生ぬるい社会主義者として重視されなかった。だが、いまから30年ほどまえの一九八九年に「冷戦終結」が表明され、ソヴィエト連邦が崩壊したために社会主義の主流は「社会民主主義」となった。

というわけで、現代国家においては、保守政党といえども福祉社会主義をとらざるをえなくなり、河合栄治郎や長谷川如是閑の政治・社会思想のもつ意味の重要性が注目されるようになった。

日本の社会科学研究はきわめてスケールが小さい。川西先生の研究スタイルからわれわれは学ぶべきであろう。

河合栄治郎研究に情熱を傾けた川西重忠さん

神奈川県立横浜南陵高校教諭　道正　健太郎

川西重忠さんとは「河合栄治郎研究会」を通してお付き合いさせていただいた。河合栄治郎という、今ではあまり顧みられることのない思想家に興味を持っていた私は、新聞記事で没後五十年を記念して河合を偲ぶ集会が開かれることを知り、神田学士会館を訪れた。今から二十七年前の一九九四（平成六）年二月一三日、前日降った大雪がまだ東京に残っているよく晴れた日曜日のことであった。

その会で司会を務めたのが川西さんだったのだが、その姿は他の来場者、登壇者の中で異彩を放っていた。

まず第一に若い。来場者、登壇者の多くが年輩者である中、四十代半ばである。もっとも「四十代半ば」というのは後でわかったことで、このときはもっと若々しく見えた。

次にその経歴である。登壇者の大学教授（武田清子・国際基督教大学教授、関嘉彦・東京都立大学名誉教授）、評論家（粕谷一希氏）、大企業経営者（伊藤淳二・鐘紡名誉会長）といった中にあって「三洋電機」とある。現役会社員である。

そして大勢の、しかも各界で活躍している方々を前にしてのその司会ぶりは、堂々として自信にあふれており、その立派な体格と力強い声と相まって、カリスマ性をも感じさせるものだった。河合栄治郎は戦前の困難な時代状況にあって左右の全体主義と戦い、「戦闘的自由主義者」と評されることもある人物だが、穏やかにスピーチする講演者の中にあっての川西さんの話ぶりもまた、十分「戦闘的」という形容に値するものだった。

この人は一体何者だろう。見たところ、第一線で活躍中のエネルギッシュなビジネスマンであり、多忙な毎日を送っているであろうに、仕事に直接関係のない一時代前の思想家に興味を持ち、どうやらその研究会を切り盛りしている様子である。世の中には一つの型でとらえることのできないすごい人がいるものだなあ、というのが、初めて川西さんと接しての印象だった。

この没後五十年記念集会は規模も盛大で、主宰者の川西さんは多忙を極めており、お互いに言葉を交わすことはなかったが、これを機会に毎年一、二回開かれる河合栄治郎研究会の催しに参加するようになると、川西さんの方から私に声をかけてくださってお話をするようになり、その人となりを知ることとなったのである。

　こういう次第で川西さんとお会いするのは年に一、二回、それも都合がつかずに参加できない年もあったので、毎年必ずというわけではなかったのだが、いつも研究会における川西さんの情熱には圧倒されたものだった。その後、ビジネスマンから大学教授に転身を遂げてからのご活躍ぶりは周知のことと思う。

　このたび突然亡くなられたことは痛惜に耐えないことではあるが、川西さんは企画力、実行力とともに人材発掘力にも優れた方だった。河合研究会には川西さんが見出した若い研究者達が後継者として立派に育ってきていることを以て、川西さんへの感謝の気持ちを捧げたい。

人と本との出会い

NPO本の学校顧問　永井伸和

川西重忠先生の突然のご逝去の報を聞いたのは、二〇一九年十二月八日、川西先生が代表をされていた河合栄治郎研究会のお二人の会員からでした。

当日、米子の生んだ世界的な経済学者宇沢弘文の第五回追想フォラムが米子市公会堂で開かれ、千人に近い聴衆の中にお二人が偶然参加されていたのです。

川西先生は私と同じ鳥取県の生まれで、稲門の先輩、後輩でもありました。若き日に親父の本棚で河合栄治郎の「学生に与う」に出会っていた私は、家業の書店経営の傍ら児童文庫活動から町村の図書館づくりの県民運動にかかわっていました。

そんな私が川西先生と出会ったのは、河合栄治郎の著作のために社会思想社の再生を模索されていた頃で、出版活動への情念を感じました。そして、当時私が取り組んでいた活動に強く共鳴して頂きました。その活動とは、ドイツの書籍業学校に学び、「生涯にわたる読書活動」、「出版界や図書館界のあるべき姿を問うシンポジューム」、「出版業界人研修・

書店人研修」を始めていた「本の学校」（一九九五年、今井書店グループが米子市に設立、現在は特定非営利活動法人）の事業です。

以来、「本の学校」の関係でのドイツ視察もご一緒し、ベルリン自由大学客員教授時代は、ドイツ出版事情視察団を現地で迎えていただきました。帰国されてからは、先生ご主催の研究会のいくつかにお誘いいただいた上に、西原春夫先生のアジア平和貢献センターで両先生のご指導をいただきました。

間もなく、桜美林大学北東アジア総合研究所の旺盛な出版活動が続き、東京国際ブックフェアで一つのブースを構えられた実行力には脱帽でした。『新・現代の学生に贈る―「現代版学生に与う」』の「学校司書のいる学校図書館観の改革」、『全国の青少年と学生に贈る読書のすすめ』の「読書の今日的意義、『本の学校』の試み」と拙稿に機会を与えていただきましたのに、先生最後のお仕事『河合栄治郎著作選集　全五巻』完結記念ブックレット「河合栄治郎とは何だったのか」への寄稿をお断りしたことが、今は悔やまれます。

国際人であり、河合先生に学んだ理想主義を全人格で実践された様々な活動と業績は偉大でした。ノーベル経済学賞に一番近いと言われ、文化勲章を受賞した宇沢弘文は、経済学者としての栄光を捨て、現実の課題へ「心」を大切に取り組んだ生涯でした。私には、川西先生の生涯と宇沢弘文のそれが重なるのです。お二人とも大人（だいじん）の風格と風貌がありました。お二人とも今の時代にこそ必要なお方です。川西先生はまだお若かったことが悔やまれますが、これまでの出版活動によってその思想は継承されることと信じます。

一昨年のお別れの席に、地元事情で、参列できませんでしたことは真に残念でありました。ここに多年のご指導に深く感謝し、ご冥福を祈ります。

我が人生の大恩人

元高校・大学教員　西谷　英昭

今では珍しくないが、大きなキャリーバッグをガラガラ引きながらの川西さんに出会って、もう三〇年以上のお付き合いになるだろう。各種会合の折は最後まで、来阪の折は突然電話がかかってきて、（新）大阪駅や京都で気楽なおしゃべりを何度しただろうか。河合栄治郎記念館（室）への夢、肥沼信次のこと、ロシアゼミから授業づくりのこと、最後にお会いした時は同じ郷土、鳥取出身の経済学者宇沢弘文氏のこと等々。お互いの考え方に共感しあい、偶然とはいえ一致する点が相応にあって長続きできたのかも知れない。いつも穏やかな口調で耳を傾け「ああ、それは面白いですね、ぜひやりましょう、ぜひ進めて下さいよ」と言われ、その気になり向学心を喚起されたことが一度や二度ではなかった。神戸社会人大学に誘われ、異分野の人々と学ぶことで視野を広めることもできた。研究会では発表の機会も何度か与えられ、そのつど各界の識者とお会いすることができ刺激を受けた（先生は何と人脈の豊かな人だろうと感じ入ったこと度々）。『学生に与う』現代語訳の話を出した時は、即座に大いに共鳴して下さり、勇を鼓して出版することもできた。何でもない些細な私の考えに付加価値をつけて背中を押し、発奮させ、張り合いを持たせ、いわゆる（ホンに小さくとも）世に出してもらった人は私だけではないだろう。我が人生をより豊かに、より価値あるものにして下さった。その意味でも川西さんは我が人生の大恩人であった。

淵野辺キャンパス近くのお宅で、鉢植えの小さな花がたくさん飾られているのを見て「えーっ、川西さんにこんな一面もあったのですか！」と言って笑いあった。忘れたマフラーをわざわざ送って下さり、米子からはバカでかい梨をいただき、外国からは一目で分かるあの豪快な文字の絵葉書……。こんな細やかな心情・気配りを持ちながら、その思想・信念においては決して揺らぐことのない「断固たる精神」の人でもあった。川西先生ご逝去の直後、私も同じ病にかかっていることが判明、これも「意味ある偶然」というモノか……

万感の思いを込めて、哀悼の意を表し感謝いたします。ありがとうございました。

川西先生に見守っていただいた四半世紀

聖学院大学教授　松井　慎一郎

河合栄治郎は、「伸び盛りの青年は、己れを導く手を必要とする」（『学生に与う』）と述べているが、四半世紀の長きにわたって、私を正しい道に導いてくださったのが、川西重忠先生である。先生がお亡くなりになられたとの連絡を受けた時、全身を駆け巡ったのは、絶望的な悲しみとともに、「これで我が青春は終わった」との感慨であった。先生の亡くなられた二〇一九年十二月三日は、遅すぎた我が青春の終焉日である。

私が川西先生と面識を得たのは、一九九六年二月一七日、神田学士会館で行われた河合栄治郎研究会での席上においてであった。当時、先生は三洋電機にお務めのビジネスマンで、多忙なお仕事の傍ら、河合栄治郎研究会や日中関係学会をはじめ様々な研究会を主宰され、まさに八面六臂の活躍をされていた。私が河合栄治郎をテーマに博士論文を書く旨を伝えると、大層喜んでくださった。初対面にもかかわらず長年の知己のように温かく包み込んでくださったその温顔を忘れることができない。
それを契機に、河合研究会の事務局に入れていただいた。当時お仕事場に近かったホテル東京ガーデンパレスにて、私と同じく大学院生であった芝田秀幹氏（現・沖縄国際大学教授）とともに、夕飯をごちそうになりながら打ち合わせをよく行った。先生の河合論はもちろんのこと、人生万般にわたって有益なお話を承った。そこでひと段落着くと、小石川のコグレプリントに移動して案内状や出版物の作成をしたものであった。それが終わると、〆に文京区役所の前に出ていた屋台で、おでんをつつきながら一杯というのが定番であった。

河合研究会の過去の資料を読み返すと、一九九六年から九九年にかけて、恒例であった二月の墓参会に加え、六月の総会、十月（もしくは十一月）の研究発表会が行われている。しかもそれらの司会者や発表者には芝田氏や私をはじめとする若年者があてられており、先生がいかに我々後進に期待を寄せて成長の舞台を用意してくださったのかがわかる。

これまで無事に何とか研究者として歩んでこられたのも、ひとえに先生のお導きによるものである。先生にすすめられるままに、錚々たる河合門下の先生方やご遺族の前で、緊張のあまり震えながら司会や発表者の任に当たり、先生が企画された出版物に寄稿し、紹

河合栄治郎ゆかりの箱根俵石閣にて
（1999年9月）

介していただいた様々な方々とお会いしてきた結果が、今の自分を形成していることは疑う余地がない。

先生亡き今、いかに自分が守られてきたのかを痛感する。私自身が先生のように（先生の足元には到底及ばないが）後進のために尽力することこそ多大な恩に報いる道であると信ずる。

川西重忠先生、本当にありがとうございました。

深甚川西重忠先生を偲んで

岡山大学名誉教授　行安　茂

川西先生との交流は約二〇数年間であった。

初めてお目にかかったとき、「理想主義研究会」を設立したいので協力依頼を受けた記憶がある。川西先生は河合栄治郎の理想主義・自由主義から強い影響を受けていた。

故人がどのような契機から河合の思想に出会ったかについては聞いたことはなかったが、一九六五（昭和四一）年に早稲田大学法学部へ入学した。当時の学生運動と関係があったであろうと考えられる。学生生活をどう送るかという問題に河合の『学生に与う』（社会思想社、一九五五年）が答えてくれるものがあると若き川西は考えたと想像される。

川西先生は一九八一（昭和五六）年「河合栄治郎研究会」を設立した。二〇〇二年、この研究会編『教養の思想』（社会思想社）が刊行された。筆者も執筆依頼を受け、「河合栄治郎とT・H・グリーン解釈」を書いた。川西先生の河合栄治郎への尊敬の念は河合の命日（二月十五日）に毎年青山墓地にある河合の墓前への参拝に示されていた。最後の参拝は二〇一九年二月十五日であった。一緒に参拝した人々は松井慎一郎、矢田部健史、小泉陽子、岡嘉彦の孫娘、行安茂であった。その日の午後の研究集会で筆者が開会のスピーチをし、閉会の辞を川西先生がした。筆者はそのときの印象を日記に「川西先生の体調がよくない。」と書いている。二〇一九年十二月三日に川西先生が急逝されるとは夢にも思っていなかった。

思えば川西先生にはいろいろとお世話になった。筆者が二〇〇三（平成十五）年、イギリス理想主義研究会を立ち上げたとき、川西先生に発起人となってもらい、以後理事として本研究会の発展に筆舌に尽くせないご協力をいただいた。本研究会が二〇一一年八月二七日の総会において「日本イギリス理想主義学会」に昇格した原動力は川西先生のお力に負うている。

筆者は本学会の設立一〇周年記念論集として『イギリス理想主義の展開と河合栄治郎』（世界思想社、二〇一四年）を刊行した。川西先生も「河合栄治郎門下の正統的後継者・岡嘉彦」の論文を寄稿してくださったことは本書を飾ることができ、心から感謝している。川西先生のご冥福をお祈りしつつ生前の多くの支援と協力に深甚の感謝を申し上げたい。

突然のお電話からの始まり

愛知淑徳大学教授　渡辺　かよ子

川西重忠先生が二〇一九年十二月三日に逝去された。

先生と私とのご縁は、遡ること二〇年以上前の一九九九年秋にいただいた突然のお電話から始まっている。電話交換台から川西先生のお名前を告げられるもお会いした記憶もなく、ともかく電話を繋いでもらうこととなった。初めてお聞きした川西先生のお声は息せき切ったように弾み、「やっと連絡がとれました！」とおっしゃってくださった。私は最初、何のことか全く不明で、お話をしているうちに、先生は、私が河合栄治郎と学生叢書のことを研究しているという情報をどこかから得られ、わざわざ職場にお電話をくださったということが分かってきた。先生の河合栄治郎への熱い想いがストレートに伝わってきた。先生は河合栄治郎研究会の趣旨や経緯について丁寧に説明くださり、私は電話口で只々圧倒されて先生のお話を拝聴していた。

かくして川西先生は河合栄治郎研究会にお誘いくださり、私は一九九九年秋に「河合栄治郎編『学生叢書』とその今日的意義について」、二〇〇〇年秋に「河合栄治郎（二七歳）のアメリカ生活」、二〇〇一年春に「いま何故、河合栄治郎と教養の復権なのか」と題したお話をさせていただく機会を賜った。

河合栄治郎研究会には河合の思想を現代に活かしたいという川西先生と想いを共有する、政治的立場や職業、世代が異なる多彩な方々が集まっておられた。各界の大御所や泰斗がシンポジストとして登壇され、これらの先生方もきっと川西先生の河合思想への熱い思いからの強引な「推し」でこの場にいらっしゃったのでは、とそのやりとりを想像するだけで口角が緩むのを禁じ得なかった。研究会での発表や研究会のお手伝いをなさる学生さんに対する先生の温かい大らかな配慮と敬意に満ちた態度は、特に印象深かった。川西先生が主導される河合栄治郎研究会において、私は大いに鍛えられ、育てていただいた。

川西先生の河合思想への傾倒と継承、思想を単なる思想で終わらせず、文化や教養、生き方の問題として、政治や社会の中に活かしていこうとされていたお姿から多くを学ばせていただいた。昨今の世界的な民主政治の後退と混乱という事態に、私たちは勇気をもって応答しなければならない。先生の御厚情と御遺志を受け継ぎ、私もまた次世代育成に微力を尽くしたい。川西先生、本当にありがとうございました。どうか私たちをしっかりとお見守りください。

先生の人間力

元ジェトロアジア経済研究所　大西　康雄

川西先生と私のご縁は、中国と桜美林大学から来ている。そもそも私は「中国屋」である。アジア経済研究所で四十年余にわたって地域研究の視座から中国経済を研究してきたほか、研究所が日本貿易振興機構と統合された後には、その上海事務所長として企業活動支援にも携わった。中国でビジネスパーソンであった川西先生とは、まずはこのご縁で知り合った。また、かなり前であるが、私は桜美林大学で非常勤講師を経験し、淵野辺キャンパスに通ったことがある。(一財)アジア・ユーラシア総合研究所の前身である同大学北東アジア総合研究所所長であった川西先生との第二のご縁である。

「中国屋」としての私は、長年にわたるご経験からくる先生の中国観に触発されることが多かった。また、北東アジア総研時代は、様々なセミナー、報告会の後で開催される会食の席があり、先生はじめ様々な分野で中国にかかわっている方々との談論風発から刺激を受けたものであった。「大学教員」としての私は、先生が開催される大学院生との研究会に参加させて頂いたことがあり、彼らのみずみずしい問題意識に触れて、自分の研究方法に活かしたいと感じたことを思い出す。

上記した二つの研究所活動にしても教育活動にしても、そこで示された先生の幅広い見識は印象深いものであった。先生の場合、こうした活動を支える組織力も抜群であった。（一財）アジア・ユーラシア総合研究所創立にあたって次々と立ち現れた課題を乗り越えられたのも、先生を中心とした人々のネットワークがあったからである。そして、ネットワークを動かしたのは先生の人間力であった。

先生の人となりについては、私などが語るより、もっと先生との交流が長い方々が語るべきことかと思うが、思いつくままに綴らせて頂いた。最後に、先生の出版活動に触れておきたい。先生は、北東アジア総合研究所時代から中嶋嶺雄著作選集をはじめ学術的価値の高い本や河合栄治郎の教育思想を紹介するものなどの教養書を世に送り出されてきた。企画立案から販売までを手掛けられ、ブックフェアで直販の先頭に立たれたことも多い。実現しなかったが、私も先生に出版のご相談をしたことがある。

本は読まれることを通じて未来の人々との対話を可能とする。来世に旅立たれた先生が、こうした対話を楽しまれている姿を想像しつつ筆を置くこととしたい。

日中両国の懸け橋になる

中国・西南政法大学　王　継洲

二〇一八年二月十五日、松井慎一郎先生のご紹介により、私は河合栄治郎研究会で初めて川西先生とお会いしました。当時、すでに先生は病魔と戦っておられたのですが、元気よくお話されていたので、とても病人には見えませんでした。

一ヶ月後、先生から三月二十四日の「アジア・ユーラシア総合研究所第一回一般研究者・客員研究員研究会」にお招きいただき、私は「蠟山政道の満洲論」についてご報告しました。当時は博士論文の執筆が思うように進まず、先生から頂戴した激励の言葉にとても励まされました。

その後もアジア・ユーラシア総合研究所、河合栄治郎研究会などの会合を通じて、日本の歴史、政治、外交などを学び、私にとって新しい世界が開かれたというような感じがありました。それだけでなく、川西先生は私を日中関係学会にも推薦してくださり、先生のご指導のおかげで、投稿した論文が受賞する光栄に浴しました。

川西先生は優れた教育者であるだけでなく、日中交流にも力を尽くした国際人でもあります。中国に関する本の出版はもちろん、私のような中国からの留学生達に対し、とても親切でした。二〇一八年八月二十九日、西原春夫先生の卒寿記念会に参加させていただき、先生方から日中国交正常化、日中交流についてのお話をいろいろお聞きしまして、日中両国の懸け橋になるという信念は一層強くなりました。

私が最後に先生とお会いしたのは二〇一九年七月二十七日の「『河合栄治郎著作選集全5巻』完結記念研究会」でした。先生はいつも早く会場に到着しますが、あの日は少し遅かったのです。また、いつもなら立ってお話なさるのに、川西先生は座ったままご挨拶されました。先生のご体調が良くないのだと実感しました。

十二月五日十四時ごろ、私が池袋駅で電車に乗ろうとしたとき、河野先生からの訃報のメールが届き、あまりにも突然のことで信じられず、私は呆然としました。悲しい限りです。まさか七月の集会が先生との永別になろうとは思いませんでした。ご指導を仰ぎたいことがまだたくさんあったのにと痛惜の念でいっぱいです。川西先生は真の教育者であり、国際人です。空から国境が見えないように、人間は心の壁を作ってはいけないというのは川西先生の教えです。

二〇二〇年から、新型コロナウィルスが流行し、ナショナリズムの高まりと共に、国家間の壁が作られるようになりました。こういう状況の中で、川西先生の精神を日中両国の交流、若者の教育に生かすことが重要だと考えています。

最後になりますが、心より先生のご冥福をお祈り申し上げます。

「あらあら、まだ生きてる⁉」

ニューコン株式会社名誉会長　王　春華

川西先生が他界されたことを知り、あまりの驚きに茫然とし、暫し声も出ませんでした。先生との三〇数年間の付き合いが走馬灯のように蘇り、思い出は頭の中で一つずつ鮮明に浮かび上がってきました。

先生と最初に出会ったのは、一九八四年の三洋電機のビジネスリーダー育成センター（大阪）でした。当時、中国は改革開放へと政策転換し、いよいよ経済に本腰を入れる時期でした。このセンターには将来、中国ビジネスに携わる人材を育成するクラスがありまして、川西先生はこのクラスの一員でした。私は中国の国費研修生として、ちょうどその時期に京都大学工学部研究室に在籍し、このクラスの技術系中国語講師として三カ月担当していました。先生とのご縁はここから始まりました。

日本が初めての私は当時、まだ日本語を流暢に話せず、日本人に技術関連の中国語を教えるのは無理だと感じ、何度も辞退しようと思っていました。しかし川西先生の真摯な言葉によく励まされ、私もだんだん自信がつくようになりました。この三カ月のクラス生活で、私は先生と親しい友人になりました。先生の率直で豪快な人柄、おおらかな性格が私に強い印象を残しました。

その後、川西先生は中国に派遣され、三洋電機の日中ビジネスの中心的な役割を果たしました。一方、私は二年間の研修生活を終え、一時帰国しましたが、一九九一年に再度来日し、日本で日中貿易とオフショアソフトウェア開発の会社を設立しました。

先生は国際文化や企業戦略において、深い知見を持っており、我が社の経営陣会議、管理者研修会、社員懇親会などに出席して頂き、会社の理念、社是、方針などのトピックで、何回か講演を行っていただきました。また先生は話題が豊富で、かつ国際的な感覚を持っており、講演後の飲み会などでも、アジア・ユーラシアの政治、文化、考え方などについて貴重な分析を披露していただき、私を含め、社員の視野も広げられました。

また川西先生は顔が広く、よく私を誘って、様々な日中友好の関連イベントに参加していました。これらの集まりでは最新の国際情勢やビジネスの動向についてお互いに意見を交換したり、ビジネスパートナーになる可能性の人たちと知り合ったり、貴重な人脈を構築することができました。先生のおかげで、会社経営もより円滑に進めることができ、日本社会にいち早く溶け込むことができました。本当に心から感謝しています。

先生は桜美林大学の教授になってから、アジア・ユーラシア関係の研究活動も多くなり、海外出張や各種協会活動も忙しかったにも拘わらず、長い間、会社の発展、私の現状に関心を持ち続けました。特に電話で連絡する時に、最初の言葉はいつも「あらあら、まだ生きてる⁉」と、ユーモアたっぷりに言ってくれたところは今でもよく覚えています。安らかにお眠りください。私の尊敬する日本友人はいつまでも私の心の中に生きています。

日中関係学会での出会い

元参議院法制商法制主幹　杉本　勝則

川西さんとの出会いは二〇〇四年十月の日中関係学会全国大会でした。当時の会長は中江要介元中国大使。基調講演者である西武の辻井喬氏、西原春夫元早大総長、塩谷隆英元経企庁次官という錚々たるメンバーの居られる会場で、私は新入会員として事務局長をしていた川西さんを紹介され、そこから彼との「縁」が始まりました。当日の川西さんの印象は、その後もずっと変わりませんが、一人で忙しそうにしている人だなというものでした。そして、次にお会いした時には、早速「杉本さん、事務局を手伝ってもらえませんか」とリクルートを仕掛けて来られ、何も事情を知らない私は、少しぐらい手伝ってあげれればと軽い気持ちでOKを出してしまいました。そして、前任の事務局員との事務引継ぎを始めましたが、・・・ここから先は川西さんと関わった方はたぶん経験されていると思いますので省略いたしますが、「え！」「どうなっているの！」の連続で、兎に角、大変でした（笑）。時にはもう付き合っていられないとばかりに退任を申し入れましたが、そのたび毎に川西さんからは「(会の創設者である) 宮崎勇先生の目の黒いうちは日中関係学会を潰す訳にいかない。助けて欲しい」との殺し文句で、以来、ずっと学会事務局員、そして、事務局長を続けてきました。でも、既に宮崎先生も亡くなられ、それに思いもしなかった川西さんまで旅立たれたので何だか気力も無くなり、川西さんとの約束は果たせたと思いますので、昨年末に事務局を退きました。

日中関係学会での川西さんとの思い出は、事務局員としては、実務能力にやや難があり興味の対象が次々と変わっていく川西さんに振り回されていたというものですが、学会員としては、彼の幅広い興味対象と行動力のお蔭でこれまで職場では体験できなかった色々なことを体験し、また、人脈作りの天才ともいえる川西さんとご一緒させていただいたおかげで私自身色々な分野の色々な方とお会いすることができ、視野が大きく広がると共に豊かな人生を送ることができたと感謝しています。

川西さんとは日中関係学会で色々な所に行きましたが、特に思い出に残っているのは二〇〇六年の夏の終わりに内モンゴルのホロンバイルに行ったことです。ホロンバイルにはノモンハンが有り、中心都市のハイラルから何時間も車を飛ばして行きましたが、同じ道を日本兵たちが行軍しその多くが帰って来られなかったことに胸が詰まりましたし、途中のゲルの中に飾られていたジンギスカンの妻の肖像画が案内してくれた女学生に似ているので聞いてみた所、何とその直系の子孫であったことに驚きました。そして、これこそが、川西さんの真骨頂なのですが、彼は、満州国時代の日本人教師（タシロ先生）が一人でレンガ工場から手押し車でレンガを運び、独力で村の学校の校舎を建てたという話を何処からか聞きつけ、それを是非とも見に行こうということで内モンゴルの僻地の村までその建物を見に行きました。

今、この校舎の半分は崩れ、現地の人達の手で修復されていましたが、元の日本人教師の手による部分だけは今も緻密で綺麗に積み上げられ残っていたのを見て川西さんと手を取り合って感動したことを覚えています。

思いもかけず、川西さんは早くに旅立たれてしまいました。

今見ている中国政府の振る舞いには品位も風格も感じられません。三千年の歴史ある大国としての誇りは何処に行ったのかと腹立たしくなります。中国が大好きだった川西さんが、今の中国を見ることなく旅立たれたのがせめてもの慰めだと思うしかありません。

タシロ先生が建てた小学校

ホロンバイル草原のゲル前にて

川西先生とのご縁でいただいた沢山のチャンス

貴州民族大学　李　海

二〇一九年十二月六日の午後、知人の吉田美津江さんから連絡があり、川西重忠先生が十二月三日の夜に亡くなったことを知った。あまりにも突然な出来事に、私は言葉を失った。川西先生とは来年の春に、東京での再会の約束をしたのが先月のことだったからだ。

私は、二〇一二年の末に、東京に特派員記者として赴任していたが、先生との交流は二〇一三年に始まる。その始まりは、学士会館で開催された日中関係学会のイベントで、初めて川西先生と知り合った。先生と知り合った時のことは、今でも鮮明に覚えている。東京に赴任して日も浅く、まだ知り合いがほとんどいなかった私は、ひっそりと会場の隅に立っていた。そんな私に川西先生は親しく話しかけて下さって、私の研究テーマや日本での生活のことなどいろいろ尋ねて私の話を聞いてくださり、愉快な時間を過ごすことができた。

それ以来、川西先生が所属する桜美林大学北東アジア総合研究所での行事に参加し、多くの友人ができた。そうして知り合った友人たちとは、今も交流が続いていて、私にとっ

て彼らは人生の宝物となっている。私の博士論文も川西先生が所長を務めた研究所で出版され、それもわたしが現在中国の大学での仕事にも役立っている。その後、学友の魏則能博士の『中国儒教の貞操観』（二〇一五年）と、中国信陽師範学院で勤務する親友の張鴻鵬博士の『いま甦る遠藤三郎の人と思想』（二〇一六年）が、私の推薦で川西先生の研究所で上梓されている。川西先生は若い研究者に期待され、学術的価値を認めれば採算を度外視し、若い私たちに積極的に出版の機会を与えてくれた。先生が亡くなる一カ月前の十一月には、川西先生からメールをいただき、中国中原工学院で勤務する親友の王学鵬博士の博士論文『日本近世小説における挿絵の役割』

の出版の暁には東京で出版記念会を開催することを約束したばかりであった。

川西先生を通じて、中国の大家王蒙先生とも親しくお付き合いができるようになったことは、私にとっては大変に光栄なことであり、改めて川西先生に感謝したい。

二〇一七年十一月、川西先生は彼の老朋友王蒙先生の訪日を実現させ、私は幸運にも王蒙先生の日本滞在の間の一週間を共に過ごした。王蒙先生の日中関係学会、日中文化交流協会、関西日中関係学会の三箇所での講演には、私が通訳を務めた。縁は不思議なもので、約二十年前、王蒙先生は日本を訪問した折、神戸で講演し、その時の通訳を務めたのは、名古屋大学での私の指導教官楊暁文教授だった。学生時代に、楊先生は何回も王蒙先生の通訳を務めた体験を誇らしく、自慢話のように話されていたことを、私は何度も聞いた思い出があり、印象深い。残念なことに、私が名古屋大学で博士号を取得してから三カ月後に楊先生は脳出血で急逝した。

中国での大学に就職が決まり、二〇一九年八月下旬、私は中国に戻った。そのころすでに病身であった川西先生は、私のために遠藤滋先生と三人で銀座の交詢会館で送別会を開いて下さった。その時の川西先生は食事も半分ほど残され、タクシーの乗り降りも困難なご様子だった。

私が中国の大学に勤め始めて約三か月後に、川西先生が亡くなられた。十二月三日の夜だった。私はその日偶然にも東京出張で、夜八時半に成田国際空港に着いた。珍しく胸が痛くなり、中国に戻ってからもその痛みはなかなか消えなかった。東京への短い出張の時には、川西先生には連絡しなかったが、今回は手紙を書いて十二月四日の朝投函した。しかしその手紙は、もう永遠に開封されることはない。

たくさんの思い出、たくさんの励ましの言葉、たくさんの友情。ただただ感謝の思いでいっぱいである。

つむじ風のように

神戸華僑歴史博物館　安井　三吉

川西さんは、いつもつむじ風のように突然現れては、「せんせい、こんど＊＊をやることにしましたから是非よろしく！」といったようなことを何度も言われたように記憶しています。

川西さんが、神戸を中心に活動している孫文研究会に顔を出すようになったのは一九八〇年代の後半でした。当時、川西さんは三洋電機におられて、研究会のために大阪からわざわざ神戸まで出て来られたのです。私は、その川西さんに引っ張られて、いくつかの集まりに顔を出すことになりました。その一つが関西日中関係学会です。この会は中国駐在経験のあるビジネスマンと研究者が一緒の珍しい学会で、川西さんが竹内実先生を説得して一九九二年十月に旗揚げしたものです。川西さんは、関西だけでなく、全国の日中関係学会の創設にも中心的な役割を果たされました。

また、神戸社会人大学というユニークな集まりも、川西さんが中心になって創られたと聞いております。この市民大学は、川西さんの著書『断固たる精神　河合榮治郎』（桜美林大学北東アジア研究所、二〇一三）によれば、一九八七年に開校したもので、「河合精神の社会実現を意図して創立された」（五二頁）という。私は、ここでも川西さんに引っ張られて何度かこの大学の講座や新年会などに出させていただきました。川西さんは河合榮治郎の熱烈な信奉者ですね。さらに川西さんは、関西日中関係学会と神戸社会人大学とのコラボを企画し、（公財）ひょうご震災記念二一世紀研究機構主催の「兵庫講座」で日中関係講座を開設することを考え、これも私と社会人大学の安田啓二さんとに企画と講師集めをするように話を持ってこられました。幸いこの企画は結構評判だったので、川西さんは桜美林大学に移ってからはこの講義をまとめて毎年冊子として公刊するようにされました。実行力にはただただ頭が下がる思いがしたものです。

二〇〇〇年、日中関係学会の総会・全国大会を神戸で開催しました。川西さんは、山崎豊子の『大地の子』と、それをテレビ化したＮＨＫのドラマが大変気に入っていて、大会は「大地の子」をメインテーマとすることとなりました。そこで、川西さんは、主人公陸一心（上川隆也）の養父になる陸徳志役の朱旭さんを呼ぼうとしたのですが、結局うまくいかず、一心の恋人役（?・）の蓋麗麗さんを迎えることになりました。蓋さんを中心に、

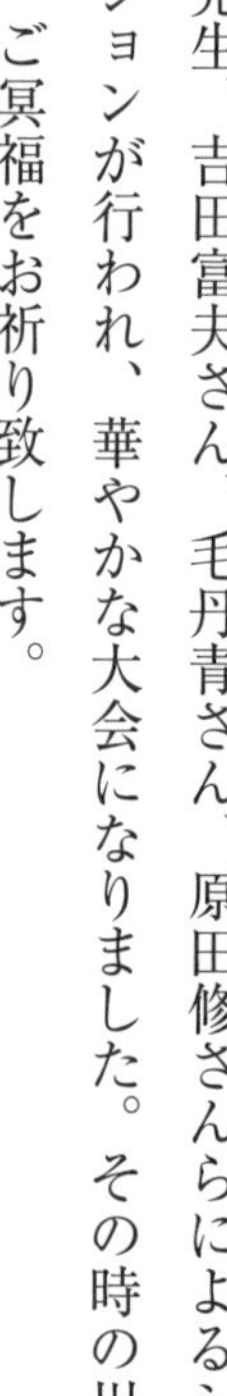
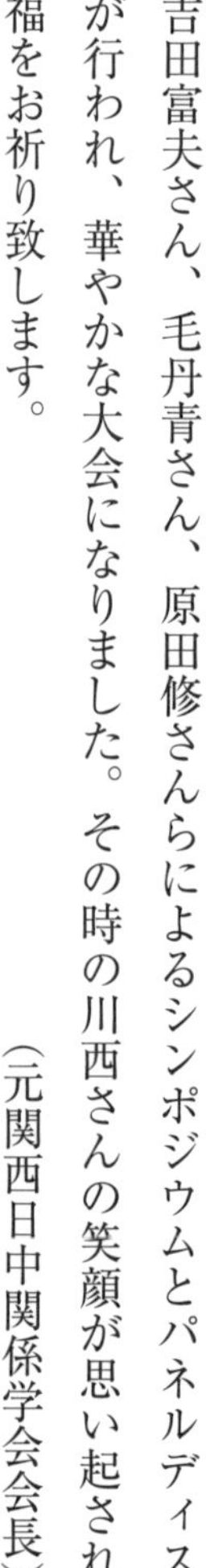

竹内先生、吉田富夫さん、毛丹青さん、原田修さんらによるシンポジウムとパネルディスカッションが行われ、華やかな大会になりました。その時の川西さんの笑顔が思い起されます。ご冥福をお祈り致します。

（元関西日中関係学会会長）

写真説明

中国の作家莫言さんを招いてのシンポジウム（1989年、神戸中華会館東亜ホール）

前列右から：竹内実、吉田富夫、莫言、後列右から：川西、?、毛丹青、安井

尚、莫言さんは二〇一二年にノーベル文学賞受賞。

畏友川西重忠氏を偲ぶ

神戸社会人大学学院長　青木　俊一郎

私が川西さんと知り合ったのは一九九〇年初の北京であった。彼は三洋電機貿易、私は松下電器より派遣されていた。当時は中国の改革路線が本格的にスタートした時期であった。互いに業務多忙であったが、彼が声を掛けてくれ、時々紹興酒を傾けながら、日中の経済協調を熱く語り合った。彼は九二年帰任し、九九年に三洋電機を離れ、ドイツ、英国等西欧での学究生活に励んだ。二〇一三年より桜美林大学に基盤を置かれ、学術、教育、出版事業に幅広く多大な人脈を生かしエネルギッシュな活動を繰り広げた。

私自身は二〇〇〇年に帰国、〇三年退職後、日中経済貿易センター理事長を十三年務めた。その間、彼には二冊の著書、『朱鎔基総理の時代』と孔子直系の七五代孔祥楷師の『中国文化漫談』（翻訳）をアジア・ユーラシア総合研究所より出版してもらった。『朱鎔基総理の時代』増補改訂版の後書きに彼の練達の文章が掲載されている。その中で私が先輩ご夫妻を北京崇文門のキリスト教会に案内している姿を彼が見ており、私には告げなかった。

王蒙先生関西歓迎交流会
前列中央　王蒙先生と令婦人
左側　青木と川西さん

それで私は彼がクリスチャンだと思い込んでいた。特に彼の畢生の出版業績の一つである『賀川豊彦著作選集』（全五巻）は十七年に完成した。その年、彼が一九八七年に発起人として設立した神戸社会人大学の学院長が急逝により彼の要請で私が後継ぎになっていた。そこで、我が校が主催して神戸賀川豊彦記念教会で関係者が集い活発な記念会を開催することができた。彼は、賀川豊彦が桜美林大学の創設者と米国滞在中に親交関係にあり、大学名の提案者になったことを披露した。

また、十七年末、彼が北京で居留していた時、近所付き合いしていた元中国国務院文化部長（大臣）の王蒙先生と令夫人を国交正常化四十五周年を記念して日本招待を実施した。

東京での公式行事を終えて、彼が随行して関西

にも来られ、神戸ポートピアホテルで我が大学が主催して関西歓迎会を実施した。(写真)
王蒙先生も老いて益々盛んな迫力に満ちた講演をされた。彼の王蒙先生への心配りに感心した。
二十年に亘る彼との交流で私は彼が同年代とばかり思っていたが、亡くなってから私より七歳も若かったと知り愕然とした。本当に惜しい人を亡くしたものである。この上は彼の志を継いで我が校の経営に貢献できるよう努力したいと決意している。

学生思いの人情家

神戸社会人大学　小野田　耕士

川西さんが逝去されて早や一年以上が経ちました。改めて川西さんの存在の大きさを思う今日この頃です。川西さんが創立された「神戸社会人大学」に私は在籍しております。私がこの大学に入ることになったきっかけは、あるセミナーに川西さんと同席したからでした。セミナーが終わり、有志でホテルのパーティーに出席したときのこと、川西さんがつかつかと歩み寄ってこられ、「いい食べっぷりですね」とあの人懐っこい声をかけてこられました。これが川西さんとのお付き合いの始まりでした。

神戸社会人大学は、一九八七年の設立で、決まったキャンパスもなく、人数も多くない任意団体ですが、川西さんの行動力と世話好きなお人柄の魅力で、不思議に周囲に人が集まって輪が広がり、結果として多くの今まで全く縁のなかった業種の仲間や著名な講師の方々に邂逅することができました。

中でも今でも記憶に残っているのは、二〇〇〇年秋の北京・長春の訪中団の一行として初めて中国の地に足を踏み入れた時のことです。川西さんのご案内で北京大学、東北師範大学（長春）に立ち入り、大学構内を見学させていただきました。川西さんが中国の要人とも礼節を尽くしながらも堂々と接し渡り合う姿に畏敬の念を抱く日々でした。さすが北京三洋電機副社長として創設期の海外会社を軌道に乗せた力量の持ち主と感服しました。

川西さんには、一方で学生思いの人情家の一面があります。桜美林大学の教授を退任される直前、私は川西さんから声をかけられました。ゼミ生の修学旅行の成果発表会を京都のホテルで開くのでぜひ立ち会ってコメントをしてもらいたい、とのこと。私が特に感銘をうけた学生の発表のコメントをすると、帰り際に私を廊下で呼び止め、その学生には自分も大変期待していると、目を細め満足そうに微笑んでおられました。

またいつのことでしたか、神戸を訪問された後、大阪方面に帰られる電車に私も同乗した時でした。川西さんは学生の卒論の仕上げや、就職のことをとても心配そうに話しておられたことが記憶に残っております。

川西さんの思い出は尽きません。いつも大きな資料と書物のぎっしり詰まったカバンと紙袋を抱え、「やあ、お元気」とあの笑顔で声をかける姿は、今でも脳裏に焼きついて離れません。心よりご冥福をお祈りします。

貴重な出会い

㈱武市精工社長　武市　進

一昨年に、川西氏が亡くなられたこと、返す返すも残念でなりません。まだまだお元気に活躍されて、私たちをより良い方向に指導してくださると思っていましたのに、突然の訃報に接して、衝撃は大きいものでした。

私が、初めて川西氏と会ったのは、市民大学の神戸社会人大学の八期生として参加しませんかとのお声がけを頂いたことがきっかけでした。

それ以前に、私の友人からの誘いで、神戸社会人大学の講演会に何度か参加していました。その頃は、まだ、川西氏が三洋電機の中国法人の重役として、北京に滞在しておられたので、この市民大学の創設者ということは聞いていましたが、会ったことはありませんでした。

八期生として参加するかどうか迷っていた時に、家内が、「参加してみたら」との一声後押しをしてくれたこともあり、川西氏との貴重な出会いが始まりました。

一年という短い期間でしたが、その間に自分の研究するテーマを見つけて、修了式の時に発表するという形で、同期の人たちのそれぞれ発表を簡単な論文集にまとめていただきました。

神戸社会人大学とはその後、三十年近いかかわりを持たせていただき、川西氏はたくさんの人脈の中から、素晴らしい知識人の講演を設定いただきました。

新春講演会や、春季講座、秋季講座、また、兵庫県が主催するひょうご講座など、いろいろな場面で、良き出会いの場を得ることができました。

二〇〇一年には川西氏が上海に行かれた時に、現地で合流し、ご一緒に復旦大学の先生方と会食できたことが良い思い出となりました。

モスクワでの思い出

金融財務研究会　会長　生田　章一

私が川西先生に最初にお会いしたのは、私がある総合商社のＣＩＳ（旧ソ連邦）の支配人としてモスクワに勤務していた時のことでした。突然、事務所の方に来られて、日ロ間の投資・貿易のことについていろいろと話を伺いたいということでした。当時私は、モスクワ日本人商工会議所の投資・貿易担当の副会頭をしていて、話を聞きたいというビジネスマンは毎日のように来られたのですが、大学の先生が来られると聞いて少し緊張した気持ちでお会いしたのを覚えています。会ってみると、非常に気さくな方なので安心し、いつも通りの資料をお渡しして説明をしたのを覚えています。その際、今の私のポストは、実はあの杉原千畝さんが座っていたポストなんですと、一言、言ったとたんにそのことについて目を輝かしていろいろと説明させられたのを覚えています。戦後の日本の総合商社は、ソビエト連邦と取引を行うには、別名の子会社を設立して、その会社の名において貿易取引等を行うことが求められていました。外務省を退職した杉原氏は、その堪能なロシア語を活かす職場として、その総合商社の子会社のモスクワ所長をされたということです。私はたまたま、杉原氏の部下として仕事をしていた人から杉原氏の仕事ぶりを聞く機会がありました。その部下だった方によれば、杉原氏はナチスから追われたユダヤ人にビザの発給をしたということなどは社内では全く言わなかったし、テキパキと商社マンとしての仕事をこなされていたそうです。その部下の方も、ビザ発給のことは杉原氏が帰国した後に有名になるまで知らなかったとのことでした。川西先生は、ソビエト連邦の歴史もかなり勉強されていたようで、そうした杉原氏の仕事ぶりについて強く興味をお持ちになられたのも当然だと思います。また川西先生は毎月、モスクワに留学している日本人学生を自宅に集めてセミナーを開いておられました。私もその講師として、何回かご自宅にお伺いさせて頂きました。学生は、チャイコフスキー音楽院に留学している人、ロシア文学を勉強している人、ロシア外交史を勉強している人、ソビエト崩壊後の政治状況を勉強している人等様々でした。川西先生の自宅が学生たちのサロンとして機能していたことは間違いなく言えると思います。

私は日本に帰国後、日中経済協会の専務理事に就任しました。そこでは、日中関係に関心を持つ学生連盟の勉強会に講師として講演をしてくれと川西先生から依頼され、日中間の経済関係について何度か講演をした覚えがあります。その後、桜美林大学の「北東アジア総合研究所」の監査役への就任を依頼され、さらに、川西先生が大学を退職された後に設立された「アジア・ユーラシア総合研究所」の監事への就任を依頼され、今日に至っています。とにかく、大学の枠にとらわれないバイタリティーにあふれる活躍ぶりには感心させられるばかりでした。ご冥福を心からお祈り申し上げます。

川西先生から学んだこと
――2019年9月8日

板垣與一記念館　宇佐見　義尚

川西先生が急逝された二〇一九年十二月三日から、今日で一年十カ月と九日の朝を迎えた。川西先生は一九四七年生まれで、私もまた一九四七年生まれ。川西先生はその生涯で先生がやるべきことをすべて終えたので、「もういいよ」と生きることから解放されて今は静かに小田原のお寺に眠っている。同じ齢で同じ年の二〇一七年三月に先生と私はそれぞれの職場を定年退職し、これからは職場の頸木に縛られることなく「完全なる自由」を得ておのれの信念のままに、人生の最後の仕上げをそれぞれに横目で見ながら一緒にやることを約束していた。川西先生はアジア・ユーラシア総合研究所を、私は板垣與一記念館を発足させて、二〇一七年四月に同時スタートを切ったが、先生のスタートダッシュはこれまでに見たこともない程に鮮やかであり見事なものであった。あれよあれよという間に先生は一年間で研究所の屋台骨を築き上げてしまった。先生を失った今にして思えば、先生をあれほどのスタートダッシュに駆り立てたエネルギーはどこから来ていたのか、はっきりと思い知ることができる。

川西先生から直接に学んだことの最後は、熊本大学黒髪北キャンパスで開催された経済社会学会第五十五回全国大会二〇一九年九月七－八日（土・日）での出来事であった。先生は大会二日目九月八日（日）の午後二時から二時五〇分に行われた第二会場第九報告竹下公視氏（関西大学）の「現代中国と伝統中国―周期的王朝交替の歴史から考える」の予定討論者で登壇した。竹下氏の報告時間三十分に対して予定討論は十分間の持ち時間であったが、その間の先生は往年の鍛えられた声太のままに、明快な筋立てと時々ユーモラスな表情を見せながら、川西先生の中国滞在六年のビジネス体験に基づいたコメントによって、討論者の竹下氏はもちろん、学会分科会には珍しく会場を埋め尽くした聴衆をうならせた。予定討論を終わり、報告者との立ち話の中で、川西先生は早速にも竹下氏をアジア・ユーラシア総合研究所の次期研究会への出席の約束を取り付けてしまった。

分科会を終わり、熊本大学の広大なキャンパスをタクシーの待つ大学正門前まで、先生と私は歩いたのであるが、その時、先生は精魂を使い果たしたようにぐったりと私の肩に手を添えて、「もっとゆっくり」と力なく言ったのであった。宿泊のホテルは一緒だったので、タクシーの中で荒い息遣いの先生の横にいた私は、強引に今回の学会出張を誘ったことに、これでよかったのだろうか、先生の寿命を縮めてしまったのではあるまいか、否、学者が学会で倒れることは学問に命を懸けている学者の本望ではないか、だとすれば、いやいや、先生も私も学者である前に一人の人間で、たった一回限りのおのれの生命を生きて愛する家族を持つ身。

私は、二〇一九年の九月八日の午後三時半、熊本大学の先生と歩いた道を、私のこれからを生きる原点にしたいと思っている。

数十年来の知己ででもあるかのように

元㈱ニチレイ会長　浦野　光人

川西さんと私が初めて出会ったのは二〇一二年十月でした。わずか七年の歳月でしたが川西さんは私に鮮烈な印象を残して天国に旅立たれたのです。

二〇一二年の九月当時、私は株式会社ニチレイの会長を務めていましたが、たまたま日本経済新聞の「リーダーの本棚」と言う連載に取り上げていただきました。その記事で私は座右の書として河合栄治郎の「学生に与う」をあげ、人生で最も影響を受けた本として紹介したのです。それが川西さんのお目に止まったようでした。その記事が載ったのは九月三十日の日曜日でしたが、翌十月一日の月曜日に代表電話を通じて私の秘書に面会の申し出があったのです。私もその当時はそれなりに忙しくしていましたので結局面会は十月二十五日になりました。今以って不思議ですが、初対面にもかかわらず私たちは直ぐに打ち解け、川西さんは私をまるで数十年来の知己ででもあるかのようにあたたかく包み込んでくれたのです。お互いに同学年であることが分かり、河合栄治郎に大きな影響を受けたことを話し合っているうちに信頼関係が一気に醸成されたのです。「人格の陶冶」とか「すべての学問は普遍に到達する」といったことを話し始めると濃密な三十分はあっという間に過ぎてしまいました。

以来、川西さんからはいろいろとお声をお掛けいただき、半年足らずの間に河合栄治郎研究会への入会案内、桜美林大学北東アジア総合研究所の理事就任要請さらには川西さんが大学で担当されていた講義科目「日本の経営者」にもゲスト講師として出講いたしました。いかほどのお役に立てたのか反省のみ募ります。

河合栄治郎研究会創立三十周年記念出版として『学生に与う』(復刻版)を発刊した二〇一三年から二〇一九年の『河合栄治郎著作選集』全五巻の完結に至るまで、川西さんの規格外の剛毅な行動力がいかんなく発揮されました。『学生に与う』(復刻版)への推薦の辞を求められたときは、とてもその任にあらずとして固辞したのですが、「現役の経営者の説得力ある言葉こそが学生に効く」と説得され、拙文「『学生に与う』はあなたを変える」が復刻版に載ることになったのです。いまだに(復刻版)を手にすると冷や汗が出てきます。『河合栄治郎著作選集』全五巻も河合の真のリベラルな精神をしっかりととらえることができます。

皆様ご存知のごとく川西さんは無類の読書家でした。そして絶版となった名著の復刻を中心とした出版に心血を注がれ、経営者・教育者・研究者であったことはもちろん何より自らが信ずる思想の伝道者であったと思います。本当にありがとうございました。

ゆったりと真の中国を見ていた人

元ハチソン・ワンポアジャパン社長　遠藤　滋

川西さんとの出会いは、私が三井物産中國総代表として北京に赴任した一九八六年だった。お会いした時の川西さんの静かで落ち着いた姿は、未だに記憶の域に入らず生き生きと私の頭脳の片隅にある。帰国し、再度お会いしたが、静かに真実を見抜こうとしているお姿は変わっていなかった。

中国に駐在された方は、色々な場面で中国について意見を求められる。川西さんは全く知ったかぶりをせず、敢えて結論付けすることをされない方だった。「中国」という言葉は、中国人の方は殆ど使われない。日常一つの国だという意識は極めて少ない。今は中国の何処へ行っても北京語は聞いて理解されるが、話す言葉は地域の言葉であるということが多い。川西さんは、かかる事情を理解され、常に変わろうとし、常に進化しようとする中国を興味をもって見ておられたと思う。今は天国で中国の方を含め、地上では会えない「史上有名な方々」とも会われ、面白そうに話をされているに違いない。

「アジア・ユーラシア」をにらんだ戦略

青山学院大学特別招聘教授　小倉　和夫

川西重忠教授の御業績への敬意と、個人的お付き合いへの謝意は、アジア・ユーラシア総合研究所から出版させて戴いた拙著「アジアは日本をどうみてきたか」の後書きで表明させて頂いた通りであり、ここにあらためて敬意と謝意を表す次第である。

そうした気持ちを込めて、ここでは、川西先生が強調されていた「アジア・ユーラシア」という概念について卑見を述べ、追悼の意に代えたい。

そもそも、「アジア」という概念は、歴史的にはヨーロッパによって作られ、利用された概念であったが、近代日本においては、自己の周辺国を、他の世界と区別して認識する「試験薬」であり、また同時に、日本自身を国際社会において再認識するための「試験薬」であった。そしてこの試験薬は、自然に存在しているものではなく、日本自身が、時により、場所により巧妙に活用するために「作り上げた」概念であった。

それに対して、ユーラシアという概念は、日本自身の自己認識や、日本の周辺諸国という「他者」の認識のためではなく、むしろ、日本の世界認識を深めるための概念であったといえよう。

現在中国が、「一帯一路」構想によって、ユーラシアに自己の影響力を広げようとしているのに対して、日本は、開かれた「インド太平洋」という概念を外交戦略として打ち出しているが、そこには、奇妙なことに「アジア」は隠れてしまっており、また、ヨーロッパは分離されている。けれども、ヨーロッパのアジアへの関与が深まり、米国の「アメリカ第一主義」が衰えていない状況の下では、海に向かって開かれた「インド太平洋」戦略と並んで、日本も広大な大陸「アジア・ユーラシア」をにらんだ戦略をも建てる必要があるのではあるまいか。

天の川西教授の「鶴の一声」を期待したい。

川西さんの企画力、実行力

福山大学名誉教授　大久保　勲

川西さんに最初にお会いしたのは、北京で三洋におられた時だった。その後、東京に戻り、日中関係学会で理事や顧問としてご一緒した。日中関係学会の初期の頃、日中学生懸賞論文募集の仕事を熱心にやっておられた記憶がある。この懸賞論文募集はいま、たいへん盛んになり、毎年論文集が出版されている。桜美林大学北東アジア総合研究所時代には、新宿、四谷、淵野辺、千駄ヶ谷或は私学会館での多くの会合に参加させていただいた。また、川西さんは関西日中関係学会副会長として、神戸社会人大学の中国講座の取りまとめをしておられた。そちらでも何回か講師をさせていただいた。

川西さんの企画力、実行力は本当に素晴らしかった。また、出版事業にたいへん力を入れておられた。東京ビッグサイトで開かれる東京ブックフェアに、単独でブースを設けて、多くの本を並べて喜々として、お客さんに接していた川西さんを思い出す。

出版物の中で、在庫が沢山残ってしまったものに、『中嶋嶺雄著作選集』全八巻がある。

川西さんは、出版は収益のためではなく、意義のある出版を心がけておられた。中嶋嶺雄の薫陶を受けた元ゼミ生たちから熱心に出版の依頼を受けたこともあるが、川西さん自身が中嶋嶺雄を出したいと思ったのであろう。川西さんは、ち密な計算をもとにして物事を進めたりすることは、あまり得意ではなかった。しかし、私自身としては、中嶋嶺雄を出してくれて本当に有難かったと思っている。中嶋嶺雄は外語大中国語科の一年先輩で、当時の中国語科は一学年一クラスで三十名前後だった。外語祭という学園祭では、中国語科として語劇をやるので、お互いに知っている。中嶋嶺雄とは、日興リサーチセンター等同じ研究会に出席したり、大学教員になるため就職の相談に行ったり、神田一ツ橋にあった東京外国語学校の跡地の確認をしたり、私が教鞭をとった福山大学に講演に来ていただいたり等々交流は多かった。だから唯一とも言える失敗作にも、私は感謝している。

北東アジア総研時代の最も印象的な会合は、当時、中国の駐日大使だった王毅さんを招いた私学会館での会合である。王毅さんと私は、王毅さんが外交部で課長になる前からの付き合いであり、今は国務委員兼外交部長として、大いに活躍しておられる。

思い出は尽きないが、川西さんが健康に恵まれて、もっともっと長生きして欲しかった。心からご冥福をお祈りしたい。

「使命」を果たし御恩に報います

ダイヤル・サービス㈱代表取締役社長・ＣＥＯ　今野　由梨

二〇一九年、私も社内も、熱く燃えていた。

一九六九年、前例の無い仕事で、女のくせに、女如きが、女だてらに起業し、いくつもの法律規制に違反してまで…と、いじめられ続けて五十年！

その奇蹟の五十周年祝いを、国の内外から七五〇人の方々をお招きしてやり遂げたまさにその時だった。

川西先生の訃報が舞い込んだ！

何も考えられなかった。無言――。

さぁ、これから又！というこの時になぜですかと――。


「ベンチャーの母」と云われ、今は「国境なきお母さん」として、主に北東アジア、中国、韓国に沢山の素晴しい息子や娘が出来た。

そんな私に、先生は何度も桜美林大学のあの大講堂で講演する機会を作って、学生さん達との交流の場を与えて下さった。講演後、後を追いかけて来てくれるのは、いつも北東アジアからの留学生達だった。双方に、川西先生の「熱い想い」がしっかりと伝わった。

川西先生は、私の「想い」の深さに比べて、「知識」や「情報量」の浅薄さを心配して下さってか、「北東アジア研究会」のメンバーにも入れて下さり、錚々たる方々の末席で学ばせて下さった。

五五年前、ベルリンで、起業する直前の日々を過ごしていた頃、韓国からの若きエリートの方々と出会った。ある日「日本人は、特にお前は、歴史認識がなさ過ぎる」と大ゲンカから始まり、今のすばらしい関係につながっている。政治でも経済でもない、民間交流。出会いと経験の積み重ねで、こんな奇蹟が生まれることを学んだ。アジアの息子・娘たちも、国同志の今の関係や夫々の肩書の重さを忘れて、バカな母の愛に感動的に応えてくれている。

川西先生、先生のお陰でやっとここまで辿り着くことができました。どこに行かれましてもその想いが陰ることはありません。これからもずっと見守って頂けると信じて、与えられた使命を果たすべく、努力することをお誓いし、お別れの言葉とさせて頂きます。

たたなわる　山脈はるか　理想かかげ

日本金属㈱相談役　平石　政伯

「たたなわる　山脈はるか　理想かかげ」鳥取県立八頭（やず）高等学校の校歌の冒頭の歌詞が、懐かしい故郷の景色に調和し、川西君の大人の風貌から滲む、温厚な笑みと重なって、その土地が育んだ一つの人格のできばえを、余すことなく示してくれる。川西君の故郷、そして私の故郷でもある鳥取県八頭郡は、東を兵庫県、南を岡山県と隣接し、中国山地に連なる山々を介して、古事記に語られている神話の時代より、長きにわたり農林業を主な産業として、今日に至る、県の東南部に位置する地域である。

八頭郡の唯一の普通科高校が八頭高等学校であり、当時の八つの町村から、向学に燃えた若い萌芽が、将来の活躍を目指して集まった。川西君と私は、高校、大学（早稲田大学）と同じ学校で学んだ間柄ではあったが、文系、理系とコースが異なっていた為か、一緒に学んだ記憶は少ない。

ところが、社会人になってから、川西君の向上心は尋常ならざるものがあり、折に触れて勉強会等に誘われ、会う機会が増え、再会する度に、彼の人格の成長と、その巾の大きさに驚かされることが多かった。特に、中国古典に対しては、深く、広く、分野を問わずに碩学を求め、勉学に励んでいた。

私個人としては、川西君のご縁で、晩年の山室三良先生と交流させていただく幸運に恵まれた。数年間に及ぶ、山室先生の勉強会では、最新の課題に対して、中国古典に留まることなく、縦横無尽の解釈で本質に迫るご指導を得られ、私の大きな財産となった。この経験は、その後の人生の進むべき道の羅針盤として、歩みを導いて頂き、今日に至っている。

最近の川西君は、桜美林大学の教授、名誉教授として、学究・教育界・産業界で蓄積された成果を見事に社会に還元し、貢献されており、その姿は頼もしく、年を追って、深度を増してきていた。特に、出版事業を精力的に活用し、積極的に発信し続けられていた。

平成二十九年四月、一般財団法人アジア・ユーラシア総合研究所代表理事として主宰されてから、自らの学問の完成に向けて、若いころからの学びへの憧憬を形あるものにまとめるべく、真理、真実の追求に注力し、「絶対価値」のあるべき姿の存在に挑んでいました。

その事業は道半ばであり、川西君の薫陶を受けてこられた若い人達に、是非この偉業を受け継いで頂き、完成されることを切に望んでおります。

書評が結んだご縁

元清水建設㈱シミズ欧州社長　柄戸　正

ドイツの作家、フランク・ティースが日露戦争を描いた小説「ツシマ」を発表したのは一九三六年でした。日本語に翻訳されたのは一九四三年でしたが出版禁止となり、もはや入手できなくなってしまいました。原書を読んで感激した私が思い立って翻訳、上梓したのが二〇一一年、その書評が早稲田学報に掲載されたのが二〇一二年でした。それを読んだ川西先生から「是非会いたい」と電話がかかってきました。勿論先生とは面識もなく、言われるままに池袋のメトロポリタンホテルのロビーで会う約束をしました。電話で説明のあった風貌の紳士が旅行用キャリースーツケースを引きながら現れました。ホテルは混雑しており近くの喫茶店に移動。席に着くと私が、

「旅行からお帰りになったのですか」と聞くと、

「いや、これから大学の近くの住まいに行くところです」と先生。

やがて飲み物が運ばれて来ると、何故私が古いドイツの小説を翻訳したかと聞かれまし

た。その書物と出会った経緯と翻訳を志した理由を述べると、先生は微笑まれながら、「実はその原書を私も持っているのです。以前ドイツにいたことがありその時に買ったのがこの本です」と言いながらその本を前に置きました。

「実は私もこれを翻訳しようと思ったのですが、つい仕事が忙しくそのままになってしまいました」

「この本を読んで感激した日本人は私だけではなかったのですね」と言うと先生は大きく頷かれました。

その後先生の主宰される「司馬遼太郎と日露戦争プロジェクト」の例会に出席させていただいたことは大変名誉なことでした。

先生がベルリンにおられた時、同じ集合住宅に住んでいたというご婦人から面白い話を聞けたのは不思議な縁でした。拙著『雲南の流罪僧』の出版社が(一財)アジア・ユーラシア総合研究所であり、発行者が川西先生であることを知って、その婦人が「川西先生ですか、よく覚えていますよ」「ある日、映画に出演することになったと先生が頭を丸坊主にされたのには驚きました。スパイゾルゲという映画に出演されるとおっしゃっていたはずですが」と言われたのです。

それを聞いて早速レンタルビデオ店で篠田正浩監督の映画を探して、初めから終わりまで多大な興味をもって鑑賞しました。ところが残念ながら先生の姿は発見できませんでした。先生にこの話の経緯を伺おうと思いながら遂にその機会を逃してしまったのは真に残念です。先生のご冥福を心よりお祈り申し上げます。

「河野さんに恩が二つあるけど言わないよ」

マネジメントカウンセラー　河野　善四郎

私が初めて川西さんに出会ったのは、半世紀以上前の一九六五年の夏だった。彼は一八歳、私は二十歳。早稲田大学の必須科目に体育実技があり、私たちは柔道の夏季集中講義を選択した。受講生の中で特に体格が良かった私たち二人は柔道部監督の講師から柔道部への入部を強く勧められた。私は一年間の南米旅行を夢見て、すでに中南米研究会に入会していたため入部を断ったが、彼は入部し卒業まで続け柔道四段にまでなった。学生時代にはまれに会うぐらいで、私は南米旅行の準備、一年間の旅の事後処理などに明け暮れ、彼は勉学と柔道に打ち込み、それぞれに全く違う道を歩んでいた。

卒業してからも、めったに会う機会はないままに半世紀もの時間が流れた。その間お互いに人生の出来事、転機にあたって、飲み、食べ、色々と話をしてきた。思い出してみれば、彼と会うのは、常に彼からの突然の電話であった。彼からの誘いがあると彼に会うのが楽しみで私は常に万難を排して会ったものだった。その思い出を振り返る時には、彼の優しさが真っ先に脳裏に浮かぶ。特に印象深いのは、一九八二年、彼が主催していた「葵の会」への参加を勧められ、月に一度の例会に参加したことである。ある時、予定していた講師の都合が悪くなり、彼から「河野さん講師をしてくれない？　今、やっている仕事のことでもいいから一時間くらい話してくれない？」と依頼されたので、私は新卒入社後十二年務めていた会社の話をした。その後幾日かして、私がその会社の社長へ業務報告をする機会があり、社長室に行くと、ちょうど社長はその時、日々の郵便物を確認していて、録音テープを同封した封書を手に持ち、「なんでテープがと言いながら差出人を見て川西重忠、知らないな」とつぶやいていたところであった。なんと、彼は私の知らないうちに私の講演を録音して、そのテープと手紙を社長に送っていたのである。そのテープによって、私の社長・会社への想いを社長に伝えたかった配慮であったと思う。

私は、その会社を三十二年間勤務の後、退職して「㈱ぜんと」を設立してマネジメントカウンセラー（社員面談による組織診断）になり、日々の仕事に追われるようになり、ますます、彼と会う時間は少なくなっていった。そうした時に、退社した会社の大阪勤務時に神戸社会人大学八期生に入学していた縁で、私は彼が設立し、主催していた神戸社会人大学学長のアシックス鬼塚会長を団長とする中国の旅に参加した。旅行中、青島の大学との交流では、カウンセリングの話をする機会にも恵まれた。私にとって、その旅行が初めての中国訪問だったために、中国での仕事の経験のある彼は、わざわざ北京の万里の長城を私だけ案内してくれた。

また、一九九七年の大阪で、彼は照れくさそうに「河野さん、私のワイフだよ」と奥様を紹介してくれたことがあった。当時、私達は二人とも東京在住だったが、なぜか、大坂京橋の彼所有のマンションに泊めてもらい、彼自ら風呂を掃除し、沸かしてくれ、「河野さん、先に入って遠慮しないで」と言ってくれたのを、彼の細やかな、気遣いに感動したことを今でも強く記憶している。

彼は二〇一七年三月に桜美林大学を定年退職して、満を持するように一般財団法人アジア・ユーラシア総合研究所を立ち上げた。同年四月二十七日に忘れもしない市ヶ谷駅の喫茶店で、私はその研究所の話を聞き、彼から全面的な協力を依頼された。それは、しばらくして打ち明けられて分かったことなのだが、彼の病気が容易ならざるものであったことに起因していたのであった。私は、すべてを飲み込んで彼の話を聞き、研究所のサポートをひきうけることに腹を決め、その後彼の研究所事務局の事務局長に就任した。それからの三年間の彼は、生き急ぐように次々と新しい企画を構想し実践していった。

二〇一九年十一月私のブータン、インド旅行時、彼から「いつ帰国、いつ会える？」と、国際電話が入った。私は、いやな予感がしたが、帰国後、十一月二十八日彼の自宅を訪ねた。その時に、インドの話をすると「私も一度はインドに行きたかったな～」とベットに横たわり時々目をつむりながら話をする彼の衰弱振りに私は愕然とした。あまり長居をしては、彼を疲れさせると思い、帰り支度をして、隣の部屋で私が最寄りの駅まで歩いて帰ると奥様に話しているのを彼が聞き、「駄目、タクシーを呼びなさい」と気遣いをしてくれた。

この面会が彼との最後になったわけだが、十二月二日に彼が電話をくれた時には、元

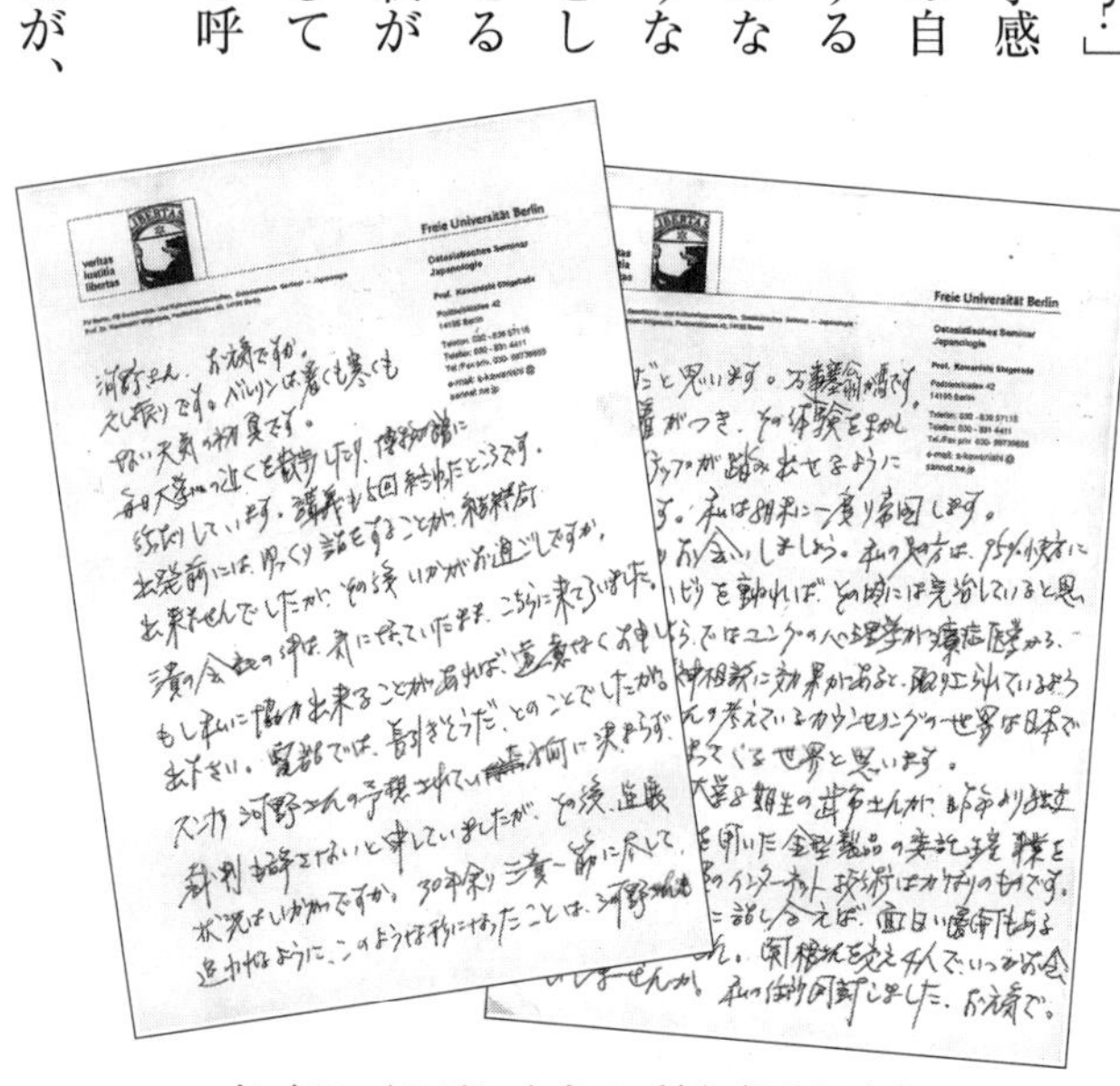
Freie Universität Berlin
veritas iustitia libertas
Ostasiatisches Seminar
Japanologie

ドイツ ベルリンからの手紙（2001年）

気な声だった。しかし、翌三日に彼は永眠した。

ある時、桜美林大学四ツ谷キャンパスにある研究所で、彼が「河野さんに恩が二つあるけど言わないよ」と笑顔で話してくれたことがあった。私は、「恩があるのは私だよ。本当にあなたに出会えてよかった。長い間、ありがとう、川西さん」。

川西先輩の念願

(一財)アジア・ユーラシア研究所事務局　河上　卓実

私が川西先輩と初めて言葉を交わしたのは、高校二年の時でした。当時の田舎は塾などなく勉強をしたい生徒は、日曜学校と称し廊下で机を並べ自習をしていました。ある日校庭を散歩していたところ「君、僕とキャッチボールをしないか」と言われ三、十分ほどキャッチボールしました。この出会いが終生までのお付き合いになるとは夢にも思いませんでした。

卒業から一七年が経過したころ、突然先輩より「論語の勉強会を開くので参加してくれないか」とのお誘いがあり恐る恐る出席しました。会の名前は「論語游講」にしようとの言葉と説明に安心したと同時に深い教養をもたれていらっしゃることを感じました。

また、河合栄治郎研究会で最初のテープ起こしを命じられたとき「これを小冊子にするが出せば評価がちょっと変わってくるよ」との話に優しさを感じました。

それから先輩が桜美林大学の教授をされていたある日曜日、ＮＨＫ第二放送を何気なく聞いていたところ、聞き覚えのある声なので新聞のラジオ番組を見たところなんと先輩が「八王子の野口英雄ドクターコエヌマさん」の話をされているではありませんか。幅広く活躍されていることを確信いたしました。あとで電話を掛けたところ「偶然にでもよく聞いてくれていたね」と喜んで下さいました。ここでも不思議な縁を感じました。

その後、アジア・ユーラシア総合研究所を設立後「手伝ってくれ」と言われ現在まで続いていますが、二人になると何度も「僕は八頭高校に入学してとても良かったと思っている よ。自由で友達も素直だった。とにかく自分の好きなことが出来たことは、今の自分の基礎ができたように思う。もし学区外の進学高に入学していたら学校生活は窮屈でいつも時間に追われ今の僕はなかったと思うよ」と言われていました。

最近母校は春と夏、甲子園で開催される高校野球に何度も出場したお陰でやっと「八頭(やず)高校」は知られるようになったが、以前は「はっとう」とか「やつがしら」高校と呼ばれて実に寂しかった。また「この研究所を全国的に知ってもらうためにも平石君(理事)、君と一緒に僕は頑張るよ」と話されていたのに急逝されて残念でなりません。

昨年写真のように先輩が寄贈した書籍がきちっと整理されたと、最近学校より聞きましたが、北東アジア総合研究所所長のときも、何度か書籍を寄贈されていたようです。とにかく先輩は母校への思いが強く、現在の（一財）アジア・ユーラシア総合研究所の代表理事になられてからも寄贈されており、そのたびにだんだんと僕の願いがかなっていくと嬉しそうな笑顔が今も忘れられません。先輩がこの写真をご覧になればまた笑顔がこぼれそうです。何度も足を運ばれたことは、生徒たちになんとか良い本に出会ってほしい気持ちが強かったのではと思います。

研究所設立後三年と短い期間でしたが先輩のお手伝いをさせて頂き感謝に堪えません。

先輩のご冥福をお祈りいたします。

横の写真が母校の図書室に文庫として置かれています。

軸足が定まった信念の人

元㈱資生堂会長　弦間　明

私が川西先生に初めてお目にかかったのは二〇〇三年の秋でした。その後ご逝去されるまでの一六年間の長きに亘り企業倫理委員会でご指導をいただきました。

私が抱いた川西先生像は信頼感があり、存在感があり、受発信力があり、対応力があり、軸足が定まった信念の人でした。

特に企業倫理委員会では五ワークと五ションを搭載したブルドーザーのような勇猛心のある方でした。

五ワークは

①　ヘッドワーク　　優れた想像力
②　ハンドワーク　　強靭な指導力
③　ハートワーク　　温かい人間性
④　フットワーク　　積極果敢な行動力

⑤　ネットワーク　　　　　　　広く深い人間関係性

から成っており、これが企業価値創造の原動力であった訳です。

またこの五ワークの基軸になった哲学・精神即ち

五ションは

①　ミッション　　　　　使命
②　ビジョン　　　　　ありたい姿
③　コミュニケーション　情報交換
④　パッション　　　　　情熱
⑤　アクション　　　　　行動

であり、先生のポテンシャルの大きさでした。

川西先生が私たちに伝えたかったのは企業の使命は企業価値の創造とステークホルダー価値の最大化、そしてソーシャル・コンプライアンスではなかったかと強く心に残っております。

先生は今も私の心の中では生き続けておられます。

長い間のご指導誠に有難うございました。

必然なる偶然

元韓国富士ゼロックス㈱会長　高杉　暢也

私と川西先生とのお付き合いはたったの三年四ケ月である。しかし、追想してみると、今、私自身がアジア・ユーラシア総研の評議員の一人として「日韓研究交流プロジェクト」のリーダーを務めている現実は川西先生と三年四ケ月前に偶然出会ったことに起因している。二〇一七年六月に十九年間の韓国駐在生活を終えて帰国、川西先生の強いリコメンドで一九年間の駐在回顧録『隣の国はパートナーになれるか』を出版した。川西先生はその出版後記に次のように記されている。

〝著者高杉暢也氏とは二〇一六年八月にソウルで初めてお会いしたと記憶する。桜美林大学の学生三三名を引率しての約一週間の夏季ビジネス研修の韓国視察ツアーの時である。釜山、大邱、慶州と回って最後にソウルに入った。韓国での企業訪問ではまず製鉄会社ポスコの工場を見学した。ポスコの創立者、朴泰俊の伝記『混迷する日韓関係を打開せよ！

今こそ朴泰俊に学ぼう、朴泰俊が答えだ！』（許南整著）を桜美林大学北東アジア総合研究所で翻訳出版していた縁によるものである。ポスコ創立者朴泰俊は六歳の時に来日以来、一八歳までの多感な青少年期を日本でおくり、後に韓国総理となる人物である。

この「朴泰俊伝」は「アジア・ユーラシア総合研究所」評議員の西村和義氏の勧めにより当研究所で翻訳出版した。これにより本研究所は図らずも出版を通じての日韓友好に寄与することになる。出版直後の韓国ビジネス研修では「朴泰俊伝」のおかげで日韓有識者関係者から予想外の歓迎と恩恵を受けることになる。

ソウルではソウル・ジャパンクラブ（SJC）が交流報告会と出版記念を正式行事として認定してくれたおかげで「朴泰俊伝日韓出版記念会」が開催された。この時の中心人物が元SJC理事長の高杉暢也氏である。高杉氏は当日の基調講演者でもあった。

高杉氏とは、その後一時帰国の機会をとらえて数回お会いした。ある時には研究所主催の「企業倫理研究プロジェクト」の特別講師として「韓国富士ゼロックスのCSR事例」について報告していただいたこともある。二〇一七年六月に正式に帰国後は「アジア・ユーラシア総合研究所」の顧問の立場で運営にご協力いただいている。〟

帰国後の私は一九年間の韓国での駐在経験を活かし隣の国・韓国をいかに日本のパートナーにするかの活動をしたいとの思いを持っていた。長年知己を得ていた元日韓経済協会専務の西村和義氏に相談すると「アジア・ユーラシア総合研究所」への入会を勧められ顧問としてメンバーに加えていただいた。

さてこれからという時（二〇一七年十一月）に西村氏は突如帰らぬ人となってしまった。それまで西村氏は評議員として「日韓研究交流プロジェクト」のリーダーを務めておられた。右も左もわからぬままに私は西村氏の重責を負うことになってしまったのである。

「アジア・ユーラシア総合研究所」は前身の「桜美林大学北東アジア総合研究所」として創立以来、中国、アジア、ロシアから韓国、欧州へと調査研究領域を増やしてきた。そして二〇一七年に川西先生が桜美林大学を退職されたことを契機に一般財団法人「アジア・ユーラシア総合研究所」を立ち上げ、先生の強い志で（1）出版事業、（2）研究交流プロジェクト事業、（3）若手研究者育成事業を三本柱とする体制を作り上げた。

特に、研究交流プロジェクト事業は①アジア・ユーラシア研究フォーラム、②企業倫理研究プロジェクト、③日韓研究交流プロジェクト、④日独研究プロジェクトを核として活動、最近は⑤日印プロジェクトを立ち上げた。

西村氏の後を継いだ小生は「日韓研究交流プロジェクト」を原則、春、秋の年二回開催することにした。
その狙うところは「隣の国はパートナー」をいかにして実現するかである。そのためにこれからの未来を託せる両国の若い世代を巻き込んで意見交換をすることに重きを置いた。
川西先生は第三回までは開催の挨拶をされ温かい言葉と激励を掛けてくださったが、体調が悪化した二〇一九年秋以降は出席がかなわなくなってしまった。しかし、川西先生の「日韓研究交流プロジェクト」に対する温かい気持ちと眼差しは私の脳裏に強く焼き付いている。

三年四ケ月前に出会った偶然は今や川西先生にとっても「アジア・ユーラシア総合研究所」にとっても必然と思えるのである。

今はひたすら川西先生のご冥福を心からお祈りしているところです。

合掌

川西重忠先生の遺志に報いる

(一財)アジア・ユーラシア総合研究所代表理事/所長　谷口　誠

時のたつのは早いもので、川西重忠先生が亡くなられてからもう三回忌が近づいてくる。十二月三日は奇しくも川西先生と同じく鳥取県出身の私の父と同じ命日なので、私の生きている限り忘れることのできない日でもある。

川西先生とは私が岩手県立大学の学長をしていた二〇〇五年頃、同じく私が代表幹事を務めていた、NEASE-Net（北東アジア研究交流ネットワーク）を通じて親しくつき合うこととなった。私が岩手県立大学を退職した頃、川西先生から桜美林大学で北東アジア関係の研究所を創設しないかと話があった。それが、現在のアジア・ユーラシア総合研究所設立のきっかけとなった。設立当初は新宿の西口近くのざわざわした所に小さな研究所があり、隣はバー付きのレストランで毎晩仕事帰りに一杯やってから帰宅した。私はそれ程お酒に強くないが、川西先生はかなりお酒に強そうだった。

この研究所も、新宿から方々転々として、新横浜線の淵野辺の事務所に数年間移り、川西先生と私と助手の女性の三人で仕事をした。この数年間が私にとって川西先生との関係では、一番張り切って頑張っていたように思う。仕事が終わると淵野辺の周辺のレストラン、バーに立ち寄り、遅くまで議論し、私は終電ぎりぎりに二時間かかって帰宅した。その頃の川西先生の研究室は本と新聞とペーパーの山で整理が悪く、学校から再三注意されていたが、川西先生は全く気にした様子はなく、最後は学校から強制的に片付けられてしまった。

淵野辺からまた四ツ谷、市ヶ谷など転々として現在の桜美林大学千駄ヶ谷キャンパスに移った。このようにこの研究所も名前も度々変わり、場所も変わり、変遷の歴史を辿ってきたような気がする。

話を川西先生に戻すと、川西先生は本来は体育系の学生だったらしい。白分ではおっしゃらなかったが早稲田の柔道部では四段の腕前らしい。身体はガッチリしていて、ハンサムでかつてドイツで客員教授をしていた頃、日独合作の映画に出演されたことがあるようだ。私の家内は他の男性のことをコメントしたことはないが、川西先生についてはハンサムだとコメントしたことがある。このことを川西先生に話したことがあるが、うれしそうな顔もせず、何とも言えない表情だったのを今でもよく覚えている。

私の知るかぎりの川西先生についてのすばらしい人柄を思い出すままに振り返ってみたい。

（1）私と全く違った性格でよく一〇数年にわたって親しくつきあってこれたと思う。川西先生は極めて堅実で博学多才でありながら、知識をひけらかすタイプではなかった。特に自分のこと、家族のことなど話されなかった。長年つき合っていても奥様のことなど話されたことはなかったので奥様のことを私が知ったのは、川西先生が亡くなられた後のことであった。

（2）思想的にはよく分からないが、どちらかと言うと立場上中立の立場をとっておられたが、本心はやや保守的だったような印象を受けた。

（3）私よりも一〇数年若く世代は違うのに、私の世代が戦後愛読した河合栄治郎とか、戦前のクリスチャンの賀川豊彦など研究されていた。

（4）さきに体育系と評したが、私と違って読書家であると同時に大変な愛書家で町田の研究室にも本棚に二重三重に本がつめこまれ、あれでは本は読めないと思う。

（5）川西先生の人脈は広く、これも川西先生の人柄によるものだったと思う。

（6）今でもよく思い出すのは、毎年八月に開催される「東京ブックフェアー」で桜美林大学で単独のブースを設け、酷暑の中を川西先生が出版された本、二年間六〇冊位を展示して、ブースに満足げに座っておられたのを思い出す。川西先生が亡くなられた後、川西先生の集められた書籍、約二〇〇〇部が安中市にある宇佐見義尚先生（当研究所監事）のお宅の図書室の私の恩師板垣與一記念館の書庫と共に「川西重忠文献資料室」として収められることになったことは、アジア・ユーラシア総合研究所の川西先生への恩返しになると考えている。

以上思いつくままに私の川西先生の思い出を話してまいりましたが、「アジア・ユーラシア総合研究所」を存続し、さらに発展させていくことが、川西先生の遺志に報いることになると確信している。

青春に生きた、川西先生

韓国慶熙大学校　堤　一直

川西重忠先生が逝去されてから、一年半が経ちました。今、思い出されるのは淵野辺駅の改札口でお別れした後も、振り返ると笑顔で手を振っていらしたお姿です。七年前の春か夏であったと思います。私が、博士課程の勉強を要領よく進められず、足踏みしていたことを知った川西先生は、淵野辺にいらっしゃいと呼んで下さり、うなぎ屋で激励して下さったのでした。食事後、先生は時間が遅くなり、仕事も多いため近くのホテルに泊まることになり、私たちは駅の改札でお別れしました。その時、私が改札を入って階段を降りるまで、お帰りにならず見送って下さったのでした。

思い返せば、先生と初めてお会いしたのは十五年ほど前のことであり、その頃の私は修士課程一年生と研究の道に入ったばかりでした。おそらく研究所のセミナーの後、打ち上げの席で先生とお話しする機会があったのでしょう。若手の私にも気さくに声をお掛けになり、話の終わりに「君、またおいでよ」とおっしゃって下さったのだと思います。以降、度々研究所にお邪魔するようになりました。

なかなか育てがいのある若者だと思って下さったのかもしれません。先生から以前「青春を感じさせる堤君へ」という励ましの一筆を頂いたこともあります。研究所での活動を通じて、論文二本の投稿、また韓国語書籍の翻訳、中国語書籍の翻訳監修といった機会を頂けたこと、そして素晴らしい方々とのご縁に恵まれたことは、私にとってかけがえのない思い出となりました。

先生から多々教えて頂きましたが、とりわけ印象深かったことが二つあります。一つ目は国際関係や海外地域の研究を志す者の心構えでした。すなわち、それらについて研究するとしても、その国で生まれ育った人にはかなわない。だから、分からないということを前提にして、向き合うようにと助言して下さったのです。

二つ目は、先生の河合栄治郎への思いでした。先生が大学教員になられたのは、企業でのご経験を学問的に研究したかったからですか、とお聞きしたことがあります。そうしたら、自分が一番研究したかったのは学生の頃から好きだった河合栄治郎ですよ、とおっしゃったのでした。先生は謙虚であり、そしてまさに「青春の思い」を大切に、ずっと歩んでこられたのだと思います。

川西先生、先生がお痩せになり、お酒も召し上がらなくなった時から、万が一のことを考え、研究所でご恩返しすべきでした。お察しすることができず、申し訳ございません。長い間お世話になりました。どうか、安らかにお眠り下さい。

（一財）アジア・ユーラシア総合研究所客員研究員）

限られた時間の中で

㈱厚徳社　中條　英明

川西先生には大変お世話になったにも関わらず、何のご供養もできていない自分が、各界の著名な方々が名を連ねる追想集に寄稿するのは非常に恐縮ですが、感謝の意を表することで、多少なりともご恩に報いることになればと思い、僭越ながら先生との思い出を書かせていただきます。

思い返してみると、先生にお世話になったのは、わずか五年半でした。高田馬場の喫茶店で仕事の打ち合わせでお会いしたのが最初で、和やかにお話をされていながらも、肝心な所は押し通されてしまい会社に戻ってから四苦八苦したという記憶があります。

その後、研究所をはじめ新宿や淵野辺の喫茶店でも打ち合わせをしました。原稿の校正をしている時に突然、意見を求められることがあり、拙い自分の見解を聞き、丁寧に説明してくださいました。自分は邪魔をしているのではないかと思うこともありましたが、先生は「こうやって話しながら考えをまとめるんだ」と全然気にされていないご様子でした。

ある時は、目の前にいる自分の存在を忘れたかのように二千字ほどの原稿をあっという間に書き終えてしまい、「昔はもっと早かったよ」と笑っておられました。

先生の雰囲気なのか、話す内容に引き込まれているのか、いつも時間が経つのが早くて、次の予定に向かうために先生と慌てて店を後にすることもしばしばありました。

打ち合わせで遅くなったときに何度か食事をご一緒させてもらったことがあります。学生さんと通っていた居酒屋でゼミの思い出を楽しそうに話されていました。忙しくて十分な授業の準備をする時間がないことや、体力が続かないことなど、非常に悔しそうな表情で話されていたのが印象的でした。

ロシア料理のお店では中国、ロシア、ドイツでの体験談、教養、国柄などこれまで聞いたことのない話や、先生がその時どのような考えや目的で行動したかなどのエピソードを聞かせていただきました。

また、先生は書籍についての話をされることが多くありました。書籍として残すことの意味、過去の出版社のこと、出版不況のために良書が出せないことへの残念な思い、手に負えない程の仕事に追われている時でさえも今後の発刊の構想について、古本屋でのエピソードなどまだまだあります。

いつも先生と生徒のような関係で教えていただくことばかりでしたが、どれだけ自分の身につけられたのかは自信がありません。思えば、先生との最後の会話も「お客様に失礼だから早く行きなさい」でした。さぞ出来の悪い生徒だと思われていたことでしょう。いつまでも先生のお世話になれると思い教えていただいたことを実践せずにいたことが悔やまれます。

時間が足りず、多くの素晴らしい構想が実現できなかったことはご無念だったと思いますが、天国で著名な方と各分野のことを笑顔で語り合っていらっしゃればいいなと思っています。

謹んでご冥福をお祈りいたします。

肥沼信次医師と川西忠重先生

（一財）アジア・ユーラシア総合研究所評議員兼日独フォーラム座長　早瀬　勇

旧知の川西先生を、横浜日独協会の例会講師にお招きしたのは二〇一八年の二月でした。その前年の十月にご著書『日独を繋ぐ〝肥沼信次〟の精神と国際交流』が、所長を務められていた（一財）アジア・ユーラシア総合研究所から出版され、ご恵贈いただきました。その内容に感激した私は即刻感想文を送り、例会でのご講演をお願いして快諾頂きました。ご講演は参加者全員の心を揺さぶる感動的なものでした。

川西先生はそのご著書の中で次のように書かれています。「八王子に生まれ、憧れのドイツの地で自らの命と引き換えに多くのドイツ人のいのちを救った肥沼信次の精神が、七〇年の時空を経て両市（筆者註：八王子市と旧東独のウリーツェン市）の市民と肥沼の関係者によって現代に生き続けている」。「ドイツにおける肥沼の行動は、本来の日本人が持つ義理と人情と思いやりに満ち、医師という職分に殉じた見事な生きざまであったと思う。この様な生き方をした日本人であったからこそドイツ人の胸を打ち、今もなお肥沼がウリーツェンの人々の中に生き続けているのである。」

八王子の市民が同郷の肥沼医師を誇りに思い、肥沼を尊敬して止まないウリーツェン市民との交流を続けていることは実に素晴らしいことです。肥沼医師によって示された日本人の精神構造の根底にある「義理と人情」が、ドイツ人のキリスト教的「奉仕と犠牲」の精神に共鳴して、固く結びついた日独の尊くて強靭な絆です。

川西先生も、義理と人情と自己犠牲という点で肥沼医師に共通した包容力の人でした。川西先生の著作や関係資料は、群馬県安中市松井田の板垣與一記念館（館長は宇佐見義尚アジア・ユーラシア総研監事）の「川西重忠文献資料室」に収められています。二〇一七年に板垣與一記念館が改装され、板垣門下生や関係者数十人が暑い八月の命日に参集しました。川西先生も相模原から駆け付けて来て下さり、汗を拭きながら、「こういう師弟の集まりに参加するだけで故人の人柄が偲ばれ、参加者同士も心が通いますね」とにこやかに語られました。その時すでに病が進行していたことは後から知りました。私は川西先生の幅広い業績と、驚くほどの人脈の広さの源泉に触れた思いでした。

（認定ＮＰＯ法人）横浜日独協会名誉会長・元金沢星稜大学学長

知と徳に情熱を注いだ川西重忠氏

東洋大学総長　福川 伸次

川西重忠氏との交流のきっかけは、二十一世紀に入ってしばらくしてから北京の清華大学での行事であった。当時彼は、北京三洋電機副社長を最後に学界に移っていた。私も、一九八八年に通商産業省を退官し、中国の政府、経済界、教育界などとの交流を進めていて彼と意気投合した。以来、中国語にも堪能な彼の紹介で、中国の研究者と多くの知己を得た。東北部の長春を訪れ、彼の推薦で、東北師範大学との研究交流に参画し、その名誉教授の称号を頂いた。

中国研究に大きな実績を持つ桜美林大学で活躍する彼の招きで、北東アジア総合研究所に関わるようになった。私も日中国交正常化に努力した大平首相に仕え、通商産業省時代から日中協力、日中韓FTAなどに関心を懐いていた。その後、彼は、ロシアやドイツなどに研究の関心を拡げ、「アジア・ユーラシア総合研究所」を設立、私もこれに参加した。

彼は、その真摯な性格から大きな研究実績を残した。彼の研究に対する情熱と後継者の指導への思いは筆舌に尽くし難い。彼が他界したことは、これから大きく展開すると期待されるアジア・ユーラシア協力にとって大きな損失である。

彼に対する思いの第一は、「知」にあくなき情熱を傾けた研究者であるということである。学問に対する敬意と言ってもよいかもしれない。彼は、真理を説く書物を大切にした。「知」の伝承を担う重要な手段であるからである。彼は、偉大な人物の残されたものを深く研究し、その知的成果を次の世代に伝承することに採算を超えて情熱を注いだ。

第二は、「徳」を高める努力を続けた研究者である。偉大な先人に対する尊敬の念に通ずるものでもある。彼は、安岡正篤先生、河合栄治郎先生、賀川豊彦先生などに心酔し、情熱を傾けてその教えを研究した。著名な経営者の業績も客観的に評価し、その功績を後世に伝えようと努力した。その分析と評価は永く残るものである。

第三に、未来に向けた戦略思考に努力した研究者である。彼が始めた北東アジア研究やアジア・ユーラシア研究は、まさにその典型である。私は、これら地域の文化的価値観と成長性をめぐって幾度か彼と論じ合った。彼は、ロシアやヨーロッパとアジアのつながりとその成長性に期待を寄せていた。

第四に、彼は、後輩の育成に深く意を用いた研究者であった。私が彼と交流する分野は限られていたが、それでも、彼は若い研究者の育成に深く配慮し、いろいろな会合に彼らを参加させ、親切に指導していた。教育者として優れた業績を残しておられたと思う。

彼は、未来志向の真摯な研究者であり、後世に大きな業績を残した教育者であった。

（地球産業文化研究所顧問）

固い絆

早稲田大学名誉教授・元総長　西原　春夫

いま手元に、二〇一八年八月二十九日、日比谷の松本楼で行われたアジア・ユーラシア総合研究所主催「西原春夫先生卒寿記念祝賀激励会」のＤＶＤがある。私にとっては大変光栄な思い出深い宴であったが、そこで生き生きと司会してくださった川西先生の映像が、今から思えば最後の遺影となった。

川西先生は私が勤めた早稲田大学法学部の出身だから、在学中師弟あるいは先輩後輩の関係として出会ったことがあったかもしれないが、記憶には無い。それが私の前に突然現れたのは、二〇〇二年三月七日、私が団長として引率していた早稲田大学交響楽団のベルリン公演に際し、当時ベルリン自由大学客員教授をしていた彼がベルリン稲門会の幹部としてさまざまな歓迎行事を実施して下さったときであった。あのベルリンフィルハーモニー大会堂を埋め尽くした聴衆の拍手喝采に、彼は本当に驚き、感激したようである。

その彼と再び東京で出会うことになり、以来固い絆で結ばれることになったのは、彼が二〇〇五年四月、桜美林大学の教授に任ぜられ、「北東アジア総合研究所」を設立してその所長を勤められることになったからである。私の側もまさにその年の秋、NPO「アジア平和貢献センター」を設置する計画を進めていたので、意気投合したことはいうまでもない。ふたりはそれぞれの組織の役員に任ぜられることにもなった。

自ら主催した桜美林大学北東アジア総合研究所、定年退職後設立した(一財)アジア・ユーラシア総合研究所を通じて展開した彼の活動は、一口で言えば「多彩」「個性的」と評することができよう。

活動の中心は何といっても「研究活動」であったが、その内容自体も多彩なものだった。しかし我々を驚嘆させたのは、研究所の活動として「出版事業」に乗り出したことである。周辺では採算を心配したが、彼は意に介する所なくこれぞと思う良書を次々と出版していった。国際ブックフェアに出品するなど、我々の発想をはるかに超えていた。

さらに注目すべきは、研究課題、出版品目の選定、国際交流の対象先の決定のどれを見ても、彼独特の評価基準が貫かれていたことである。外から見ていると、それぞれに全く関連性が見出だされないが、彼の世界観の体系という視点で眺めてみると、なるほどそうなるのかなと思わせた。

私は多くのアジア関係の研究組織を知っているが、このような組織は他には見当たらない。それは彼の主宰する研究所の存在意義を高めることになるわけで、その意味で、彼の学術界に果たした役割は大きく、それは彼の存在意義そのものを高めるものだったと言ってよいであろう。

惜しい人を亡くしたものだ。傍らにあるべき人がいない寂寥感のやまぬことをしみじみと知らされる昨今である。

（アジア・ユーラシア総合研究所評議委員）

川西節を聞き逃さない

元駐中国大使　谷野　作太郎

昨年、川西先生が急逝されたという一報に接した時は大変びっくりいたしました。もっとも、このところ、日頃お元気なあの川西先生にしては、若干顔色がすぐれず、声音もひと頃ほどではないようにお見受けし、体調が思わしくないのかなと内々案じてはいたのですが。

私は、二回目の中国勤務として、一九九八年から二〇〇一年まで、北京の日本大使館に籍を置いておりましたが、その間は、川西先生（在中国の三洋電機を率いていらっしゃった）とは残念ながらご縁がなく、従って先生とおつき合いが始まったのは、東京に帰って退官（二〇〇一年四月）後のことでした。はじめは、桜美林大学の北東アジア総合研究所に席をいただき、その後は同大学のアジア・ユーラシア総合研究所の評議員として。

その間、会合の度に、北東アジア総研、アジア・ユーラシア総研の活動に向けた川西先生の情熱（川西節）に感じ入りながら、拝聴しておりました。その中にあってとくに感銘を受けたのは、採算を度外視しても、良質の書籍を出版し、世に残そうという先生の情熱でした。

最近、とくに若者たちは書籍になじむ風がすくなくなったといわれます。そして、小説を読むにしてもスマホの画面を通じて……。私はといえば本を読むには一頁・一頁紙のページをめくりながら、時には赤線を引き、メモを付しながら……。私のような旧世代の人間には、スマホで夏目漱石を読もうなどという気にはどうしてもなれません。この点も、川西先生と大いに共有したところです。

今、世の中は、内外ともども、多事多難の日々を迎えています。日本は、川西先生や私などが、昔、縁があった中国と今後どのように向き合ってゆけばよいのか、ということも今日的問題です。そんな中、私には、天界から川西先生の声が聞こえて来るような気がします。

私の好きな詩に、あの「千の風」という読み人知らずの有名な詩があります。

　私のお墓の前で泣かないでください。
　そこに私はいません。眠ってなんかいません。

千の風、千の風になって
　あの大きな空を吹き渡っています。

そして、以下、私は光となって…朝は鳥となって…夜は星となって…と続きます。

そう、川西先生もお墓の中で静かに眠っているような人ではありません。川西先生は、さぞかし、昨今の下界の情況を眺め、いらいらしながら、いろいろと警世のメッセージを私たちに向けて送ってきているはずです。

私たちは、時には天空を見上げ、夜、星空を見やりながら、そのような川西節を聞き逃さないようにしたいものです。


（(一財)アジア・ユーラシア総合研究所評議員）

見事なプロデュース力と実行力

東京福祉大学社会福祉学部長　伊東　眞理子

川西重忠先生、突然の訃報に驚いております。先生は去る十二月三日にお亡くなりになられました。この日は私の誕生日でもあり、何かしら深いご縁にも感じられましたこともあり、筆を取らせて頂きたいと思います。

初めてお会いしたのは、十三年程前の経済社会学会全国大会のことであった。「同朋大学（筆者の前任校）の伊東眞理子先生ですね。お噂はかねがね張博士（第五十三回仏教伝道文化賞受賞者）から伺っておりますよ」と、パーンと雑談していた昼食会場に現れ、若輩者の私を明るく骨太なヴァイタリティーで包んで下さった。立ち上がってご挨拶すると、先生が次に編集されるご本に一本書く事が決まっていた。鮮やかであった。その後、関西方面にもご自宅をお持ちとかで、その中間地点である名古屋に降り立つ折にはご連絡を下さり、張先生の新居で本場の中国手料理を共に振る舞って戴いたりもした。最も印象に残っているのは、ご決断の早さであった。

川西先生が大会委員長を務められた経済社会学会第四十四回全国大会［大会テーマ：東アジアの経済社会発展と格差問題：於・桜美林大学］直前の東西合同役員会が名古屋学院大学で開かれた折、予定プログラムにはトヨタ自動車関連のご発表が二、三本あった。例えば「中国におけるトヨタの教育システム」「トヨタにおける……」etc。それらの討論者は、順当にトヨタを研究されておられる大学の先生方が予定されていたとき、私がこんな発言をした。

「折角ご当地の東海、お膝元にトヨタがあるのですから、トヨタの方に討論者としてお出まし頂けると宜しいのでは?!」

すると間髪を入れずに川西先生が仰られた。

「それは、素晴らしいアイデアですね。是非そうすべきですね」

そしてこうも言われた。

「そのトヨタとの交渉、そのお役目を是非、伊東眞理子先生にお願いしたい」。

結果として、前年に東京工業大卒のＵＲ支社長から同窓であると紹介されたトヨタ七奉行（※トヨタは世界市場を七分割している）のお一人、東洋・太平洋地区担当専務、岡部聡氏に連絡をすると快諾を得た。

「その日、私はアキオ社長のお伴で、シンガポールのＦ１に行くことになっているので、私より優秀な牛島常務を行かせましょう！」

おつなぎはさせて頂いたが、その後の川西大会運営委員長の交渉で、牛島常務は討論者のみならず、一時間余りの特別講演までして下さる事となり、学会内外のオーディエンスも多数集まって、大成功となった。これも取りも直さず、川西先生の見事なプロデュース力、実行力の賜物であった（北京三洋電気㈱副社長という実業界からの転身と伺った）。ご決断の早さ、人とモノをまとめ上げる陽の力、常に明るく力強いオーラに包まれておられた川西先生。

それらの無形資産とも言うべき資質は、天国においても発揮されておられるであろう。本学会の先達と和やかに話されているお姿が瞼に浮かんでくる。

――現在、私の新しい研究室の卓上には、まり子会（筆者の教え子達が主宰する）に際し贈って下さった深紅の薔薇のプリザーブド・フラワーがあたりを切り開くように咲いている。

川西先生、本当にありがとうございました！

（東京福祉大学大学院研究科長　同朋大学大学院客員教授）

川西重忠と柔道と

早稲田大学名誉教授　小野沢　弘史

川西と私の出会いは、彼が鳥取、私が北海道から上京した一九六五年、アジアで初めて開催された東京オリンピックの翌年であった。早稲田大学の柔道部は歴史と伝統があり〝技〟志向の本格的な柔道で〝学生日本一〟を目標に熱血の稽古の日々であった。私は強くなりたい、理想とする柔道の真髄に近づきたい一心で懸命だった。

ある日、飄々とした観の川西が入部してきた。彼は学理の模索を中心にしながら、好きな柔道も伸ばすような稽古振りに見えたが、心身の負担は相当に強かったと思う。早稲田には全国各地さらに海外からも学生が集い、学ぶ専門分野は違っていても道衣を着て畳の上で刺激し合いながら大汗を流す。稽古や試合での自分との闘いでもう限界ではないかという体験や、時には、打ち震えるような歓喜の瞬間を味わえたことは得難い経験であった。

また、稽古の前後の部室、食堂などで、現状や過ぎし日のこと、さらに将来のことを語り合う。楽しいことも辛いことも含め貴重な良き想い出の四年間であった。

当時の日本は経済・産業の成長期で世の中は活気に溢れていた。一方、ワセダキャンパスは「授業料値上げ反対」、「学生会館の管理運営権」などで学園紛争が活発化し騒然とし始める。教場がロックアウトされ授業が満足にできないことが多くなり、試験をレポートに振り替えるなど混迷していた。柔道部員には学生運動を批判する者、擁護する者がいたが、思想信条は自由で尊重する部風であった。

川西は春風駘蕩、常に落ちついてゆったりとした独特の語り口で、回りを〝心地好い〟気分にする男であった。志高く高次な価値を仰ぎ見る姿勢を垣間見ることが出来、学ぶことがあった。

思い出はもろもろとあるが試合に関して、彼は早慶対抗柔道戦に四年生の時に出場した。講道館大道場での勝ち抜きの二五名戦である。負けられないという責任感からの彼の緊張が私にもヒシヒシと伝わってきた。今でも懐かしい。

卒業後は、彼は企業人そして教育研究者としての道を歩み海外生活・出張も多く、私は大学に奉職し、互いに多忙になり顔を合わせない時期があった。しかし彼は節目には近況を絵葉書で知らせてくれ、それを読むのが楽しみであった。

彼と私は教育研究の同業ということもあり一脈相通じ、同期生として巡り会ってから半世紀以上の付合いであった。川西は、先人が築かれた思想、哲学、文化などを正しく認識し、人との縁、人との繋がりを継承させることを使命とし努めた。〝いかに生きるべきか〟という人間の本質を発信し続けた生涯であった。

『中嶋嶺雄著作選集』全八巻の生み の親

国際教養大学名誉教授　勝又　美智雄

その後丸一年以上経って、先の追悼文では言い残したことが沢山あることを痛感しています。川西さんのご尽力なくしては中嶋嶺雄著作選集が無事に刊行できることは及びもつかなかったからです。

振り返ってみれば、中嶋先生（1936-2013）が二月に急逝された後、東京外大の「中嶋嶺雄ゼミ」の人たち約二五〇人に呼びかけて追悼集を作成し、五月に先生の故郷の松本市内で行われた追悼式、そして六月に東京・ホテルオークラでゼミが主催した「偲ぶ会」に参列した人たち約八〇〇人に配布しました。

その後先生の果たした偉業を検証するため、その全著作一〇九冊を整理しなおす中で「後世に残すべき優れた業績」として全八巻の著作選集を編むことにしました。第一巻から第六巻までが先生の専門である現代中国研究及び国際関係論、第七巻は先生が晩年に精魂込めて取り組んだ「大学教育革命」、第八巻は先生の生涯を貫く「国際教養」をテーマにしました。この私の案を基に中嶋洋子夫人と出版社を手分けして当たりましたが、いずれも「今は学者の著作集は売れない。ファンは既に原著を持っているし、新しい読者層を開拓するのも困難」ということで、刊行するにも全三巻が限度、とのことでした。東京外大の出版部門でも「三巻以上はとても無理」とのこと。国際教養大学でも次期学長にその意欲が全くなく、出版計画は頓挫しかけました。

そんな折、川西さんに話をすると「原案通り全八巻をうちで出したい」と言ってくれ、川西さんの後ろ盾である佐藤東洋士理事長に掛け合って了解を取り付けました。中嶋先生が八王子の大学セミナーハウス理事長のポストを特に信頼していた佐藤理事長に譲った経緯もあります。当時の北東アジア総合研究所の台所事情が厳しいことは私もよく承知していたので、中嶋ゼミの会が資金を調達し、全八巻セットを三万円で一〇〇セット引き受けることとし、更に編集委員八人は収録作品の吟味・校正から解説の執筆まで全て無報酬でやることを決めました。

川西さんは精力的に各種新聞雑誌のインタビューに応えて中嶋選集のPRに努め、また私も川西さんの勧めに応じて幾つもの新聞に寄稿しました。中嶋選集はこうした川西さんとゼミの会の二人三脚で実現したわけです。

私が二〇一六年三月、国際教養大学を定年退職した際、学内での英語による最終講義を済ませた後、秋田駅前のホールで市民公開講演会を開催しました。一二年間お世話になった秋田市民に向けて「国際教養大学の挑戦と成果、及び秋田の地域活性化のための改革案の提言」を二本柱に約三時間半、会場を埋めた約二〇〇〇人の人たちに語りました。これは中嶋学長が普段から「教養大の存在が秋田の地域おこしに貢献しなければならない」と主張していたその遺言を実践したつもりでした。講演会は地元紙でも大きく取り上げられ好評でしたが、その時驚いたのは、川西さんがわざわざ東京から新幹線で大きな花束を抱えて駆けつけてくれたことです。その折、何枚もの写真を撮り「勝又さんはコーヒー中毒だから」と大きなマグカップに私の講演する姿と集合写真を貼り付けたものを送ってくれました（私と中嶋洋子夫人、第八巻の解説を担当した次男の聖雄さ

ん、川西さんと並び『中嶋追悼集』の編集を担当した伊藤努さん)。

私は今も朝・昼・晩、このマグカップでコーヒーを飲んでいます。

選集が完結した折、川西さんの提案で特別付録として中嶋追悼集をベースに外部の著名人からの寄稿を収録した『素顔の中嶋嶺雄』を新書版で刊行しました。この新書には佐藤理事長が「川西さんの努力で無事に中嶋選集ができたことを喜びたい」とのメッセージを寄せていました。

川西さんの亡くなった後、二〇二〇年秋には佐藤理事長が急逝しました。享年七六歳。ちょうど中嶋学長が亡くなったのと同じ年齢でした。どちらも現代では余りに若い死であり、川西さんは余りに「若すぎる死」でした。中嶋先生はアルコールに弱くビールもコップ半分飲むのがやっとで、佐藤理事長も余りお酒は嗜まなかったと私は記憶しております。川西さんも同じで、今頃は三人が天上の庭先で桜や桃の花が咲き誇る中、お茶とケーキ・和菓子を楽しみながら歓談している、と想像すると心が癒されます。

(グローバル人材育成教育学会会長)

忘れ得ぬ笑顔

加藤　明美

川西重忠様は、日中の懸け橋でした。

太陽のごとくに私達の「北京放送を聞く会京都支部」に光を照らして下さいました。古い話ですが、一九八一年に、第一回京都・西安友好短期留学を終えた学生や主婦達は「北京放送を聞く会京都支部」を立ち上げました。

月に一度第二日曜日を例会と決め、毎回日本人と中国人とで五〇人位のメンバーが中国語を混えてお互いの国の理解を深めていきました。数年ほど経て一九八五年頃のことですが、ふと気がつきますと後の方で、ニコニコと笑顔の川西様と一人の外国人がこの会を包み込むような雰囲気で立っておられました。当時川西様の名前を存じませんでしたが、例会の座が一層和やかな情況になったのを覚えています。交換留学生には日本の政府から滞在費一切を支給されましたが、中国政府からはそこから三分の一を中国に返還する約束をさせられていましたので、経済的に大変でした。我々会員は交流を混えて少しでもお役に立てばと留学生を中国語の講師に招いたりし、互に深く理解を深めました。

例会はずっと続きました。川西様と外国人は時折尋ねて来ては私達の会を優しく眺めて下さいました。この時の川西様の表情は日中の関係を深く結び付けるようでした。

今年はこの会も四〇周年を迎えました。川西先生もご存命であれば……。この間に天安門事件がありました。たまたま私はこの前後に中国の蘭州や長沙にも行きました。学生達は白の上着黒のズボン姿で線路に伏せている何十人もの状態を見て、私は民主の風がここに吹いてくれるか、と希望を持ちましたが……。

九〇年代後半になって日中の経済交流も盛んになってきました。川西様は関西日中経済フォーラムを京大名誉教授の竹内実先生を囲んで作られ、多くの経済関係の方々と交流を進められていました。私にも依頼があり、よく神戸へ出掛けて交流を持ちました。

川西様は桜美林大学へ移籍される以前は三洋電機に在籍されていました。北京の日中合弁のホテル「長富宮飯店」に私はよく宿泊しましたが、その向かいの五階位のビルの屋上に「三洋電機」の看板が夜になると明々と灯っていました。私はそれを見てあたたかな人柄の川西様を思い出していました。

ある夏の日、東京へ行くべく混雑の京都駅で新幹線を待っておりましたら、後の方で賑やかな声が聞こえ、フッとふり返ると川西様が同ホーム反対側で私を盛んに呼んで下さっていたのです。私が気付いたらピシャとドアーが閉まりました。あの時のお別れが最後となりましたが映像がしっかり心に焼き付いております。

一昨年十一月末に届いた川西様からの梨の実はお別れの印だったと後で知り、悲しみにくれました。〝ご冥福をお祈り申し上げます〟

番外の人

上出　美鈴

川西さんがお亡くなりになったという信じられない訃報が二〇一九年暮れに届いた。

私が川西さんと知り合ったのはふとしたことからである。四〇年近く前、新聞のある記事が目にとまった。それは虎ノ門葵会館で催されている社会人大学「論語」の講座の紹介であった。その講座の主宰者に連絡をしたのが川西さんとの初めての出会いであった。彼の声は普通の人よりトーンが少し高く、しかし熱心に講座の説明をしてくれた。今思えば、あの時電話をしていなければ、私の人生は違ったものになっていただろう。なぜなら私はその講座で将来の夫と知り合ったからである。しかしその夫を二〇一八年に見送って悲しみもさめやらぬうちに、今度は川西さんの訃報である。

夫が転勤族だったので、私たちは東京を出たり入ったり、そのうちに川西さんも転勤、また彼の結婚などが続いて、ともに人生の慌ただしい時を過ごし気づかない程度に疎遠になった時期もあった。長いつきあいの中でわけても印象に残っているのは一九八九年の出来事である。川西さんは当時北京赴任。私ども夫婦はシンガポールに滞在していた。六月四日、この日起きた天安門事件を夫に伝えるため川西さんより国際電話があった。夫との話の後、私とかわり生放送ならぬ生声でこの事件を知った。「ここ数日天安門に学生や一般市民が集まりだし不穏な雰囲気だったが、今日はとくに戦車が多く集まっている。あっ、今戦車が動きだした。学生達があぶない。」と川西さんの声。「川西さん、あなたも危ないから逃げた方がいいよ。」と私。「大丈夫、僕は北京飯店の上から見ているので」。今思い出してみてもなんと贅沢な生放送であったことか、共に若かった。

また、中国の文化大臣が来日の際、李香蘭も臨席された会食にも声をかけてくださったこともあった。このような大きな出来事ばかりではなくささやかな事もあり、幾重にも思い出が層のように、まるでミルフィーユのようで、今となってはその全てが懐かしく思いだされる。私と川西さんの関係は大災害が起きたら、いの一番どころか三〇番内にもお互いに入らない「番外の人」だった。この「番外の人」をどのくらいもっているかによって人生の豊かさを図れると思う。人生のエスプリとして、山椒の粒のようにピリッとした関係だった。残念なことは、川西さんが神戸で始めた「勉強会?研究会?」にそのうち参加したいと思っていたのに、紹介される機会も無く彼は旅立ってしまったことである。川西さん、あなたは私の人生を正面からではないが、いつも斜めからライトを浴びせて豊かにしてくださった。本当に、本当に有難う。そして「きっと　また　いつか」。

二つの「記念」室

元早稲田大学本庄高等学院教諭　佐々木　幹雄

今冬一月、群馬県安中市松井田町にある「川西重忠文献資料室」を訪ねた。当地で「板垣與一記念館」を運営する宇佐見義尚さんが川西先生の蔵書を引き受け、昨年暮れに開設された「記念」室である。陽光の射しこむ部屋には専門の経営・経済書に偏らず、文学、歴史、科学など様々な分野の本が並び、先生の愛書家ぶりをあらためて感じた。

川西先生との出会いもやはり本であった。五十歳を越えた頃から私は日韓の焼物交流に関心を持ち、かつて栃木県の焼物の街益子に暮らした画家で陶芸家の合田好道を追いかけていた。合田は還暦を過ぎて韓国に渡り、「金海窯」を立ち上げ、地元韓国の陶工に「色彩豊かな生活陶器」を作ることを教えた。韓国の影響が強く主張される日韓焼物交流において、私は、これは「日本から韓国への影響」、「益子民芸の韓国的展開」ではないかと捉え、是非とも形にして残したいと思った。

調査も一五年を超え、ある程度原稿も整ってきたので、幾人かの方々に出版の相談をしたが、話はそう簡単ではなかった。二〇一四年の初秋であったと思う。私の職場に松井慎一郎さんがいた。そこで、「ダメもと」で松井さんに相談すると、なんと、松井さんは即座に「いい方がいらっしゃいます」と、川西先生を紹介してくださったのである。川西先生は所長を務める桜美林大学北東アジア総合研究所（現一般財団法人アジア・ユーラシア総合研究所）からこれまで様々なジャンルの本を刊行されていた。

早速三人で新宿南口の喫茶店でお会いした。川西先生は私の話を丁寧に聞いてくださり、「当研究所の出版精神である〝人と歴史〟にもかなうので、だしましょう」とその場で約束してくださったのである。これが私と川西先生との出会いである。先生は私より二歳上、団塊の世代ということもあり、以後親しくさせていただき、夕食をご一緒し、近況を話し合うことが続いた。

せっかちな私は出版の話はトントン拍子に進むものと思っていた。しかし、他の方々の本が次ぎつぎに刊行されてゆくも、私の方の話はなかなか進まなかった。先生は「本なんて二カ月もあれば出来ますよ」とおっしゃられたが、そんな矢先、突然、先生が倒れられた。同年代として先生の身を案じつつも、「これは難しいかな」と半ばあきらめかけたが、病床より復帰された先生は一変して出版の話を進められたのである。印刷会社との話し合いがもたれたのは、二〇一五年の夏も終わる頃と記憶している。

それからが俄然忙しくなった。数ヶ月で校正を終え、翌年二月六日の合田の命日に間に合うよう、正月返上で打ち合わせが行われた。最大の問題はなんと本のタイトルであった。私は合田が金海窯で陶器の表面に描いた可憐な赤絵「すみれ」紋が彼の生き方を象徴するものと考え、その韓国語「チェビッコ」をタイトルに入れたいと提案した。しかし、出版経験の豊かな先生は「それでは多くの方が理解できません」と、「ダメ出し」されたのである。最終的には私の提案で『韓国の焼物の恩に報いた日本人 合田好道——益子から金海進礼への民芸の展開——』となった。長いが内容のすべてを語るので、これもありかなと思っている。表紙もなかなか決まらなかった。そこで、窓絵の中に、タイトルで「没」になった〝チェビッコ〟を自ら描いて先生にお見せした。先生は「虫みたい」といわれたが、これは数回修正しただけで了承していただいた。

年が明け、一月半ばになってもこうした状況が続いた。益子では合田の命日に向け出版記念会の準備が着々と進められていた。間に合うのか、私は気が気でなかったが、川西先生は経験から「いやぁ、ここまでくれば二週間でできますよ」とおっしゃられた。そのお言葉どおり、先行納品として数百冊が出来上がったのが祝賀会の前日、会場に届いたのは当日の朝であった。

益子の「つかもと」で行われた祝賀会には先生と松井さんに参加していただいた。御酒は召されなかったが、先生には楽しいひと時をお過しいただいたと思っている。のちにお目にかかった時、先生から「私にとって記念に残る一冊になりました」とおっしゃっていただいた。感謝にたえない。

その益子に今年の正月、「合田好道記念室」がオープンした。益子のメイン通り、城内坂の上り口にある陶器店「陶庫」の石蔵を利用した小さくも落ち着いた雰囲気の記念室である。陶庫さんは先代から合田と活動をともにし、今も合田の系譜をひく益子「和田窯」の民芸の薫り高い食器をブランドとしている。

益子といえばまずもって濱田庄司が語られるが、合田は陶芸を志し益子に集まる若者を指導し、「表の濱田」に対し、「裏の合田」とまで言われるほど益子を支えた人物である。子供の頃から合田を知る「陶庫」の現主人塚本倫行さんは合田が世人から忘れ去られてゆくことが寂しく、没後10年に展覧会「合田好道を知っていますか」を催し、そして二〇年目の今回、記念室を開いたのである。

北関東の東と西に経済社会学者と陶芸家の二つの「記念」室がほぼ同時に開室した。二つの「記念」室を結ぶのが拙著であり、その出版を決断されたのが川西先生である。桜美林大学を退職された時、少し時間的余裕が出来たのか、川西先生から「今度、佐々木さんの案内でゆっくり益子を歩いてみたい」とメールが届いた。機会を得ぬまま、先生はお亡くなりになった。合田の記念室にもご案内できたのに、なんとも、心残りである。

なお、冒頭に掲げた「板垣與一記念室」には、板垣、宇佐見、川西のほかに小島清、小宮山量平、岩田年浩、河村敬一各氏の蔵書も収めている。宇佐見氏はこれら膨大な図書を一般にも公開されているので、益子の「合田好道記念室」とともに、ぜひともお出かけ頂ければと思う。

川西プロダクション

元経済企画事務次官　塩谷　隆英

川西重忠さんのあまりにも早いご逝去に対して、心からお悔やみを申し上げます。仲のよろしかった奥様のお嘆きはいかばかりかと胸が痛みます。

川西さんに最初にお目にかかったのは、もう二十年以上前のことでした。東京経済大学の創立百周年記念シンポジウムで私が講演したときでした。たしか、中国のＷＴＯ加盟が実現したころで、「これを契機として北東アジアの経済統合を進め、将来経済共同体を構築すべきだ」という趣旨のことをしゃべったような記憶があります。講演が終わると聴衆の一人だった川西さんが私のところへやってこられて、「私たちの考え方と全く同じです。私が師事している西原春夫先生を紹介しますので、是非一緒に北東アジアの統合問題の研究をしましょう」と、熱っぽく話されるそのお人柄にいっぺんに魅了されたことを覚えています。その後、多くの方の協力を得て、「北東アジア研究交流ネットワーク（NEASE-Net）」を作り、川西さんも「北東アジア総合研究所」を作られ、折に触れ協力するようになりました。やがて、川西さんの視野は、北東アジアを越えてヨーロッパ大陸にまで広がってゆき、研究所の名称も「アジア・ユーラシア総合研究所」になりました。

あるNEASE-Netの会合のあとの飲み会の席だったと思いますが、川西さんが、突然、「桜美林大学で教える気はありませんか」と言われました。私は、NIRAの理事長を辞めたあとで、時間は有り余っていましたので、川西さんのお誘いに乗りました。川西さんは、即座に当時の佐藤東洋士学長と大越孝副学長に引き合わせて下さり、ほどなく、私は、桜美林大学客員教授として大学院で教えることになったのでした。川西さんは、ご自分の教室に私を何回も呼んで特別授業をさせて下さいました。数日後にその模様をビデオに収録したものに、表紙を付けて送ってくれたこともあります。私が「川西プロダクション」と名付けた出版事業は、川西さんの得意分野でした。シンポジウムなどの結果を、あっというまに本にまとめる手腕は本当にプロ並みでした。

川西さんは、学生をとても可愛がりました。川西さんの研究室は、いつも学生であふれかえっていました。ゼミの後には、居酒屋で議論の続きがありました。学生も、川西さんを本当に慕っていました。いまはただ川西さんのご冥福をお祈りするばかりです。安らかにお眠り下さい。

死者からのメッセージ

（一財）竹田市健康と温泉文化フォーラム　首藤　勝次

少しインパクトのあるタイトルになってしまったが、実は一昨日、（一財）アジア・ユーラシア総合研究所の河野善四郎さんから分厚い封書が届いた。開けてみると、ペルーの珍しいコーヒーが同封されていた。

この財団との縁は、およそ三〇年ほど前、桜美林大学の教授をされていた川西重忠先生との間で生まれた。当時、先生はライプチッヒ大学とベルリン大学の客員教授をされていたこともあり、ドイツのことや瀧廉太郎のことに興味を持たれ、だから直入町役場にいた私を訪れてくれたのだった。

ここで、先生は小さい町ながら、国際的な交流を始めた直入町に興味を持たれ、そしてそれ以降も機会あるごとに連絡を取り合うようになっていたのである。

その川西先生が所長を務めておられたのが、アジア・ユーラシア総合研究所で、中国や

韓国はもちろん、先生が関わっていたベルリン大学やライプチッヒ大学を基軸にしてドイツとの関係も生まれていたのだ。

そこで、先生からの助言もあり、私は市長就任と同時に瀧廉太郎記念・全日本高等学校声楽コンクールの優勝者にドイツ留学の道を拓いたのである。おかげで、ライプチッヒ市の幹部との交流も始まり、そしてメンデルスゾーンハウス記念館の館長がコンクールの表彰のために竹田市を訪れるという新たなストーリーが始まるのであった。

川西先生は、二〇一九年十二月三日に帰らぬ人となったが、その年の夏、先生は私に日独研究会での講師を命じた。最高顧問

（現代表理事）の谷口誠さんは元国連大使、そして集まっておられたメンバーも錚々たる顔ぶれであったが、竹田市にとっても、私自身にとっても最高に意義ある機会であった。

実は、その時、先生はすでに病魔に冒されて入院中。病院から私を見守るために抜け出しておられたのだ。最後の最後まで縁を大切にしていただき、いま振り返っても胸熱くなる思いがする。

さて、冒頭申し上げたように、その財団で常務理事をされている河野さんから私の退任を気遣い封書が届いたのである。久しぶりに電話で話しながら、いただいたペルーのコーヒー豆を使わせてもらった。すると、その香りの高さにコーヒーの印象がガラリと音を立てて崩れた。こんなコーヒー豆がこの世にあったのかと驚いた。コーヒー通が「これは幻のコーヒーだ」と叫んだというエピソードもうなづける。コーヒーに関しては素人の私だが、しかし、これは珠玉の逸品だと確信したほどだ。

河野常務と話しながら、川西先生が力を入れていた中国との交流の中に、今回私たちが立ち上げた『豊後南画SAIKO会』の文化交流が新しい挑戦のステージを開設できると嬉しい限りだとお伝えした。いま、私は一年半前に亡くなられた川西先生から再び新たなメッセージが届くような気がしてならない。

昨日のことのように

京都大学名誉教授　竹内　洋

一九九九年ころだったと思うが、当時私は京大教育学研究科長兼教育学部長をしていた。研究科長兼学部長室に電話がかかってきた。受話器を取ると、「河合栄治郎研究会のカワニシと言います」という声が聞こえた。しかし、電話なので、私は栄治郎のほうよりも、河合のほうに反応して、河合隼雄（臨床心理学者）先生についての研究会なのかと思ってしまった。というのは、河合隼雄先生は数年前までは、同じ学部で同僚であり、著名な先生だったからである。それにしても私の専門は教育社会学であるのに、どうして河合隼雄研究会の人が私に電話するのだろうか。誰かとまちがっているのではないか。訝しい思いで聞いていたのだが、拙著『学歴貴族の栄光と挫折』や『教養主義の没落』を面白く読んだので、というくだりにいたって、河合「栄治郎」研究会の代表者なのだと合点がいった。

電話の一週間ほどあと、京都にいらしていただいた。自分がどうして河合栄治郎に興味をもつようになったか、研究会のこれまでの活動などを説明され、教養をめぐるテーマで次回の研究会で講演をしてほしいという依頼を受けた。私は、川西先生が言及した拙著でも部分的だが河合栄治郎のことはふれており、さらに次の著作のために調べをすすめていたこともあって、喜んで講演を承諾した。研究会にいくと、年輩の人だけでなく、若い世代が多いのにおどろいた。以後、時々、研究会で喋る機会を得た。研究会やイベントを長年持続させることは大変なことである。若手の有志たちのサポートもあったが、川西先生の熱情と誠実なお人柄、そして抜群の組織力なくしては持続しなかったであろう。経済的にも相当な私財を研究会のために使われたのではないかと思う。さらに、会の受付には奥様がいらして、事務のサポートをされていたことも印象に残っている。

川西先生とは研究会やプライベートでお会いしたのはかなりの数にのぼり、本を出版すれば、お互いに送付しあった。ヒアリングのために河合栄治郎の弟子関嘉彦(都立大学名誉教授・元参議院議員)先生のお宅に一緒にうかがったことも昨日のことのように思い出す。川西先生のあまりに早い旅立ちに、悲しみがつのるが、天国で河合栄治郎先生はじめ弟子たちから大いなるねぎらいを受けたことだろう。川西先生のことだからいまごろは河合栄治郎先生を「囲む会」を発足させているのではないだろうか。あの高らかな笑い声と歯切れのよい口調で、てきぱきと会を仕切っている姿が目に浮かぶのである。

Dr.肥沼と川西先生

Dr.肥沼の偉業を後世に伝える会代表　塚本　回子

私は二〇〇五年二月、八王子のNHK文化センターで川西先生の講演を聞いて衝撃を受けた。それは「八王子の野口英世・ドクターコエヌマを知っていますか?」というタイトルであった。第二次世界大戦直後のドイツ・ヴリーツェン市で多くの人をチフスから救ったDr.肥沼は自らも感染して三七歳の若さで客死するのであるが、死後七〇年以上経た今でも現地の人々に敬愛され、英雄として語り継がれているというのである。川西先生はベルリン自由大学の客員教授であられ、現地でそのことを知り、日本人は誰も行ったことのないDr.肥沼の墓を訪問したのである。肥沼信次が八王子市出身でありながら、そんな偉業を成し遂げたことはこの八王子市では誰も知らない。これはいったいなぜなのか?この話は本当なのか?

終戦後、ベルリンの壁に情報が遮断されていたため、息子の偉業を知るどころか、帰国しない息子を探し続けて亡くなった母親の代わりにお墓参りをしたい、そんな思いが沸き上がり、その年の十一月に友人を誘ってヴリーツェン行きのツアーを計画した。川西先生にもご同行いただいた。ポーランドとの国境の地ヴリーツェンは静かなたたずまいで私たちを迎えてくれた。緑豊かな墓地の一角に肥沼信次は眠っていた。子供から大人までみんなドクターコエヌマを知っていた。桜が見たいと言って亡くなったというDr.肥沼を忍んで「さくら、さくら」と「ふるさと」の歌を歌った。

その後二〇〇九年には、八王子学園八王子中・高等学校とヴリーツェンの学校とが姉妹校締結を結び、お互いにホームステイなどで交流をしてきた。二〇一五年「Dr.肥沼の偉業を後世に伝える会」を立ち上げ、様々なイベントに参加したり、講演をしたりと活動の輪を広げていった。

二〇一七年七月、八王子市とヴリーツェン市が国際友好交流都市締結を結び市長らと調印式にヴリーツェンへ。九月、生誕の地八王子市中町に顕彰碑建立。十月、八王子市制百周年記念式典にヴリーツェン市の市長・議長らを招待。その間小・中学校での道徳の授業での講演、紙芝居、絵本の制作なども行ってきた。川西先生にはその都度、励ましのお言葉やご指導をいただいた。先生は何より若い人につなげて良かったと何度も言われていたのが印象的だった。毎年三月八日にヴリーツェンで行われる慰霊祭には川西先生は何と十五年間も毎年おひとりで参加されていたのには本当に頭が下がる。

二〇一七年十月発行の先生のご著書『日独を繋ぐ〝肥沼信次〟の精神と国際交流』で私たちの活動を「官民一体で成し遂げられた国際交流活動の見事な成果であるといえよう」とまで言って下さり感謝に堪えない。

川西先生があの時、NHK文化センターで講演をしてくださらなかったら……、私がその講演を聞かなかったら……、今もって八王子の市民はこの誇るべき偉人の存在を知ることはなかったであろう。

異能のオーガナイザーとの出会いと別れ

元大阪教育大学長　中谷　彪

私より若い研究者を喪い、追悼文を書くことは、不幸である。多くの人々にとっても不幸である。人生に別れは避け得ないが、川西先生との別れは言いようのない悲しみである。それゆえに、この一文は苦痛である。

川西先生に懇意にしていただく機会を得たのは二〇一二年頃であったであろうか。川西先生が、拙著『塩尻公明―求道者・学者の生涯と思想』を読んでくださり、私に連絡をくださったのである。河合栄治郎研究会代表の先生が、河合門下の塩尻公明に関心を持たれておられたのである。神戸での研究会の帰途の先生と私は、JR大阪駅付近で初めてお会いした。夕食会をかねての対談であったが、盛り上がったことは言うまでもない。細々と月例会を続けていた塩尻公明研究会を褒めてくださったので、恥じ入った記憶があるが、それよりも、川西先生が、「塩尻公明と卯女の資料を持っているのですよ」というような話を漏らされたことが気にかかった。「今後、二つの研究会が協力してやっていきましょう」ということでお別れしたが、その日は、ご自宅に帰れる最終の新幹線にお乗りになったはずである。

川西先生は二〇一三年一月二十六日（土）の塩尻公明研究会例会で「多彩な河合栄治郎門下生―異能の思想家　塩尻公明」（野尻武敏米寿記念出版『経済社会学の新しい地平』二〇一三年七月の第一九章に収録）と題して、圧巻の発表をしてくださった。川西先生は書いている。

「月例会で紹介した塩尻公明の母、卯女の手紙やハガキ類一式は、本邦初公開の塩尻関連資料であった。…持ちかえったそれは私が思っていた以上の分量であった。…塩尻公明を解くには母の卯女を深く知ることが肝要と思う。」（372頁、376頁）

終わりの一文は、川西先生らしい私の研究への批判的提言であると受け止めている。感謝！

実は私は、この月例会には入院先の病院から抜け出して参加し、月例会の済んだ翌々日に手術台に上った（入院と同日に送られてきた『塩尻公明評伝』と編著『或る遺書について』の初校ゲラは、麻酔を打つ時間がきて、校正中断という結果になった）。二週間の入院後、二月十五日には上京して十六日の河合栄治郎研究会に初参加したように思う。以後、河合栄治郎研究会では二回も発表する機会を、出版では塩尻公明と木村久夫と河合栄治郎の研究書を数冊も出版する機会を与えてくださった。異能ではない、異端な私を大きく抱擁して、甘えさせてくださったのは、川西先生が正真正銘の自由主義者であり、しかも、優しい心配りのできる大らかな人物であられたからである。

先の本で、川西先生は予期しない出来事が相次いで起こると言っておられる。

「塩尻公明研究会」の代表者である中谷彪氏との邂逅と塩尻公明の母、卯女と私の家内の母、節子が卯女の晩年の一時期、非常に親密な関係にあったという事実である。いずれもそれまで私の人生とは直接関係のない未見の人達であった。人の縁は、どこでいつどのように結ばれるのか、まったくはかりしれないのである。人と人との出会いは、早すぎもなく遅すぎもない絶妙のタイミングで訪れる。」（371頁）

私は、絶妙のタイミングで川西先生と邂逅できたことを喜び、人生の生き方を教えられたことを感謝しつつ、河合栄治郎論や塩尻公明論を未消化のままにして逝かれた先生を惜しむ。今はその運命を、ただ「受け取る」のみである。

川西先生を偲んで

安田女子大学　新美　貴英

川西先生が旅立たれたことを、まだ信じられないでおります。「やあ、きみ、がんばってるかね」と、今でもどこかで声をかけてくださるような気がしてなりません。

私がはじめて先生とご縁をいただいたのは、一〇年前に開催された経済社会学会でした。当時、私は国会で働きつつ、大学院に在籍して研究を進めていました。そして、学会で初めて研究成果を発表する機会を得ました。はじめての学会発表で、大変緊張しておりました。その際、座長として議論を導いてくださったのが、川西先生でした。終了後の懇親会でも、「面白かったよ。これからも研究を続けるように」と励ましてくださったことを、昨日のことのように覚えています。

学会発表以来、時折ご連絡をいただくようになりました。大学での最終講義にもお招きいただきました。学生たちが楽しそうに講義を受けているのを見て、「やはり川西先生は、人を惹きつける力に溢れているな」とあらためて感服しました。北東アジア総合研究所（後のアジア・ユーラシア総合研究所）にもお呼びいただき、運営に加えていただきました。研究成果を発表する機会も与えていただきました。どれもがいい思い出です。

お亡くなりになられる三か月ほど前でした。久ぶりに先生にお目にかかり、あんなにエネルギッシュだった先生が、お痩せになられてお加減も悪そうだったので、大変驚きました。しかし、中国をテーマにした研究会でのご発言は、以前と同じく、大変鋭く本質を突かれるもので、大いに学ばせていただきました。もっと先生から色々教えていただきたかったと、心から思います。

先生は、多くの教え子たちを育てるとともに、私たちのご縁を繋いでくれました。研究所にいらっしゃる、魅力あふれる方々とお会いできたのも、先生のおかげです。また、先生がお力を注がれたアジア・ユーラシア総合研究所は、今後も研究や教育、交流事業を通して、社会に貢献し続けていくものと信じています。

どうかこれからも、研究所と私たちを、温かく見守ってください。

先生、本当にありがとうございました。

好奇心、意欲、配慮の人、川西重忠

青山学院大学名誉教授　袴田　茂樹

川西重忠氏とのお付き合いはそれほど前からのことではない。初めてお会いしたのは、二〇一一年九月に日本財団で開催されたロシア関係の会合の時である。その時は、会が終わった時、私が存じなかった氏が近づいてこられ、「私は実業界の仕事の後、大学に移りドイツで研究をし、近い内にモスクワにしばらく滞在して研究するつもりです」と言われ、著書を頂いて率直な話をし、共に写真を撮った。

その後、突然訃報を聞くまで一〇年足らず、彼が所長をされた「桜美林大学北東アジア総合研究所」、その後の「アジア・ユーラシア総合研究所」関連の会合で親しくお付き合いを頂いたが、何よりも強い印象に残っているのは、氏の旺盛な好奇心とあらゆるものに積極的に挑戦される意欲、それに国内外での知人や教え子たちへの細かい配慮と思いやりであった。

積極性ということで強く思い出すのは、故木村汎先生を座長とし、有力なロシア研究者達の「日露関係ロシア研究会」を、川西氏が桜美林大学の研究所所長として組織面での全ての負担を負いながら、定期的に続けられたことだ。会合などでは常に他人を立てられ、この会についても「この会を通じて袴田氏とも徐々に親しくなっていった。木村氏が座長を務められ、袴田氏はいつも議論のリード役であった」とある場に書かれ、木村先生や小生を立てて下さっている。

やがて、何時だったか定期的研究会後の懇親会のとき、私の母についての本を出版したい、との申し出を突然受けてすこし驚いた。その理由を訊くと、一九九四年の『中央公論』八月号に私が書いた「母八重子二十歳の日記」を一読して強い感銘を受けた。この文を読んで初めて袴田茂樹を知った気がする。またこれに書かれている昭和の初めの新しい知識人女性の視点と彼女の実際の体験は、近代日本社会形成にかんする一級の歴史資料なので、是非ともその後の彼女の人生についてももっと詳しく書いてもらい本にしたい、との趣旨であった。肉親や自身について本をかくことには躊躇もあったのでやや迷ったが、折角の申し出なので二カ月ほど後に「書きましょう」と述べると、出版の仕事はトントン拍子で進んだ。彼の研究所は出版を始めたばかりで彼の教え子たちが、編集、校正などの仕事を手伝って下さった。

感心したのは、教え子たちを単に研究会や出版などの手伝いに狩り出したのではなく、研究会にもきちんと出席して共に学ぶよう配慮し、また教え子たちの研究発表会を組織し、彼らの出版にも尽力されていることだ。

亡くなられる前に、何も仰らずに故郷の果物を何回か送って頂いたが、今から思うと、自らの運命を知った上での気配りだったのではないかと、川西氏のお人柄を偲んでいる。

無二の親友

畠山　茂樹

二〇二〇年一月中旬、寒中見舞を見て、川西重忠君が前年の十二月三日に亡くなったことを知りました。川西君との初めての出合いは、早稲田大学一年生の時の法哲学の講義でした。毎週木曜日、夕方六時から始まる講義に、イガグリ頭で角帽を被った、頑丈な体躯の男が入室してくるのです。

私も同じく坊主頭で詰襟に角帽という格好であったことから、彼はいつも私の後部又は隣席に着席しました。当時、運動部の新人は例外なく、坊主頭で角帽を被り学生服でした。川西君は柔道部で、私は野球部に所属してました。

彼はいつも着席と同時に睡魔に襲われて机に伏し、講義終了間際に眼を覚まして、終了と同時に、何事もなかったように教授に一礼するのが常でした。

卒業の時、ナショナル金銭登録機に就職し、大阪勤務であることを教えられましたが、その後も上京の折に、何度か銀座の彼の知るＢＡＲに案内してもらい、痛飲したことを覚えてます。

学生時代から、彼はいつも重そうに数冊の本を所持してました。その中の一冊が、彼が生涯の出会いである「河合栄治郎」でした。又、彼の勧めで倉田百三の「愛と認識の出発」を知りましたが、その後の私の生活において極めて重要な影響を与えました。

その後しばらくして、井植さんの三洋電機に移ったとの連絡がありました。又、突然、新しく家を購入したとの話もありましたが、彼の所有する書籍が今の家では収容しきれなくなったとのことでした。

更に一九八〇年代の半ば頃、友人達と神戸社会人大学を設立し、当時、カネボウの社長だった伊藤淳二さんにお願いして開校記念講演をして頂いたとの話を聞きましたが、彼の損得を抜きにした、人間として付き合う姿勢が、面識のなかった伊藤さんの気持ちを動かしたと思います。

その後、彼は北京三洋電機に駐在します。中国の改革開放政策が始まって間もない頃で、三菱商事勤務の私は、北京を中心に大連、長春、成都など奥深く多くの場所を訪れました。

北京では、彼と何度か会って旧交を温めたことを思い出します。

又、彼の人間的魅力で多くの中国の方と付き合っておりましたが、溥傑さんや梅の画家と

して、中国では特に有名な王成喜画伯等と深く交流してました。

二〇〇二年、既に三洋電機を退社していた彼からドイツのベルリンにいるとの連絡がありました。当時、私はストックホルムで長期出張をしておりましたが、週末の休暇を利用して、ベルリンに飛び、一緒に美術館巡りをしたり、ベルリンで大学のOB会に参加した思い出があります。

帰国して彼は、桜美林大学にアジア・ユーラシア総合研究所を立ち上げ、後進の指導に励んでました。私は何時か自身の海外事業体験を学生さんに話してあげたいと言っておりましたが実現できなかったことは誠に残念なことでした。

川西君は私の「無二の親友」であったことを、彼が昇天してから改めてかみしめております。

今は、謹んで哀悼の念を捧げると共に、川西君との長い間の交わりに、心から感謝致しております。

「一期一縁」の感謝と人生の使命感について

宮本　聡美

川西先生、天国でも学ばれているのでしょうね。私は今も彼岸に旅立たれた川西先生を信じられません。私は徳島県鳴門市の企業に勤務する女性の会社員です。追悼文の寄稿の依頼が手元に届き少し迷いましたが川西先生のご功績を称賛すると共に私の人生に影響を与えてくださったご恩として綴ります。拙い文章を皆様お目通し下さると誠に嬉しく思います。

私はパナソニック創業者の松下幸之助さんの設立した大手出版会社㈱ＰＨＰ研究所が出している、「道をひらく」を学びに隔月奇数月の土曜日、神戸市三宮に足を運んでいました。女子だけの会です。学びと申しましても女性独有の悩み等、その時折の自分の近況や政治的な世論も加え言葉遊びのようなもの。肩の凝らない利害関係もない人々の集まりです。私は神戸の女性達が徳島県の私を受け入れて下さり、とても居心地がよいひととときで楽しみでした。

何故川西名誉教授と知り合ったか前置きをしなければと思いました。川西先生のご経歴は三洋電機の中国副社長としてご活躍した事を知りました。何故ならパナソニック創業一〇〇年の節目（二〇一八年）四月に和歌山で眠る松下幸之助さんのお墓参りに出掛けた。この時の事はよく覚えています。松下幸之助さんの直系の部下だった重鎮のO氏から「もしよかったら貴女に和歌山まで来てほしい」との事。幸之助のご命日は四月二七日。桜の咲く前頃の土曜か日曜に松翁忌と名付けて偲んでいます。桜の花こそ散っていました。松下のO氏から「宮本さん、この人は川西先生、ご立派な大学教授ですよ」とご紹介して下さいました。墓参を終えお花見気分でシートを敷き歓談しました。私は川西先生に桜美林高校が私の中学時代か高校時代の時甲子園で勝利し校歌で「イエスイエスと叫ぼうよ」とインパクトの強い曲覚えていますよと話した事覚えています。先生は微笑んでいました。

この時、先生はとても謙虚に力強く大学では松下幸之助さんは人生の成功者、学生が熱心に耳を傾けると感想を述べられた事を今でも覚えています。名刺を下さり松下についての学びを知りたいので私に学んだ資料や感想を送ってくれないですかと先生はおっしゃいました。私は諸々公私共多忙で五月末ごろようやく資料を桜美林大学へお届けし、川西先生がお目通ししてくださったのが二〇一八年五月末でした。

川西先生曰く「家柄、学歴、職業、地位等を前に出すような者はダメだ」と仰せられたと記憶しています。元号が平成から令和に変わった二〇一九年十月に私はプライベートで松下幸之助さんの講演会が東京であり上京することになりました。その三週間位前に川西先生に私は桜美林大学に私から足を運びお目にかかりたい、訪問しようかという書簡と私の綴ったエッセイを同封しました。手紙の返事や電話もなかったです。振り返るとお辛い闘病生活を送られていたのだと令和二年二月頃私の勤務先の会社にアジア・ユーラシア総合研究所様より送られて届いた封筒を開封し、訃報を知りました。鳴門市賀川豊彦記念館の館長様も私がもし川西先生の不幸を知らなかったらと思い手紙を私宛に送ってくれていたのです。私はそこ(鳴門市賀川豊彦記念館)へ電話を掛けました。「虫が知らせたのだろう、貴女に今手紙書いていたところです。川西先生の不幸、宮本さんも受け取り知ったのですね」ということです。今でも信じられません。私は昨年春の偲ぶ会に上京する意向で徳島⇕東京の飛行機の切符を手配していました。偲ぶ会を開催する場所は東京市ヶ谷。プライベートの女友達に市ヶ谷へのアクセスや市ヶ谷で何が有名なところか尋ねました。「宮本さん、自衛隊があり作家三島由紀夫が割腹自殺したところといえばわかりやすいと思う」と教えてくれました。私は三島が自決した時小学校三年。授業の時持ち回りで毎朝児童がひとり前日のニュースで印象に残った話をクラスのみんなの前で発表するというものでした。私がこの話をした事も何の因果か覚えています。三島由紀夫の映画を昨年春徳島でも上映していたのもありドキュメントの収録を見に行きました。コロナが東京に感染者が増え続け小池都知事様が昨年春に緊急事態宣言を出し川西先生の偲ぶ会も中止となりました。今度は私が上京出来ない運命のいたずら。そのようなこともありこの追悼寄稿執筆依頼をお引き受けしました。桜は寒い冬でも耐えて春という季節になると必ず咲きます。素晴らしい生命力です。桜だけでなくて他の色々な花も個性があり一生懸命咲く。きれいだと思う気持ち、花や自然の風の香り、鳥のさえずりに耳を傾ける事。歳を重ねても私は人として忠実に生きていきたいと思っていますもの。

日本は和暦でも西暦でも通用する寛容な国、又経営の神様松下幸之助さんの創業一〇〇年（パナソニック）の節目のお墓参りに足を運んでいなかったら、神戸市へ二か月に一度出掛けていなかったら賀川豊彦との「縁」はまずなかったと思っています。高校三年生の時の担任の恩師が私に述べてくださった言葉は「宮本さん、一生読書しなさい、必ず身になる、実になる、人の心を又打つように書け、打つように響くように伝えなさい、話しなさい）という言葉は今でも胸に刻んでいます。川西先生と同じ位の年齢で、恩師のお父様は賀川の研究をしていた文学者であったとこの数年前に知りました。恩師は私が現在の勤務している会社の事、文学的な事、私がたずさわっている事で特に賀川の生誕一三〇年の徳島での祝賀会に参加した事などをとても喜んでくれました。

二〇一八年雑誌「文藝春秋」の中に孫と読みたい一冊として山折氏が挙げた「死線を超えて」が掲載されていたのを拝見し鳴門市賀川豊彦記念館に見学に出かけたと私に電話で伝えてくれました。今年は賀川が発足したコープ神戸が一〇〇年の節目と神戸の松下幸之助を学んでいるお世話役の女友達から聞きました。彼女は私に「賀川先生と縁があるところですね。宮本さん」と私を立ててくれました。令和二年一月十七日は阪神淡路大震災二十五年の節目でした。最後に彼女と会ったのが竹下景子さんが来るからと朗読に誘ってくれた一月下旬です。その会場の前が栄光教会で賀川と縁のある所。生涯現役であった日野原医師と縁があった事も私が学んでいくうちに知りました。私は講演会を拝聴することも好きなので鳴門の賀川記念館へ都合がつくと足を運んでいます。来年鳴門市賀川豊彦記念館は建立二〇周年の節目となると聞きました。三月二十七日（土）講演会に足を運んだ時桜が道中に咲いていました。空気が奇麗だった。私事で恐縮ですが母は平成十二年三月に桜の開花を待たず彼岸に旅立ちました。春生まれの私はピンクの淡い桜色が好きです。賀川豊彦との縁の橋わたしをしてくださった桜美林大学名誉教授の川西先生の事もこの時期が来ると思い出すのかと思うと切ない…。桜の力強さと冬の寒さに耐えて春に咲く高潔な人物…。二度しかお目にかかっていない。現在、コロナ禍で世界中日本国中、大変。医療従事者に敬意を持っています。

私に出来る事、後世に賀川の偉業を微力であるが、語り残すことであるのかもしれません。鳴門市賀川豊彦記念館の名誉館長（鳴門教育大学名誉教授）田邊健二先生と館長岡田健一先生から賀川の事を多く学びました。ある意味使命かもしれません。早く人々がマスクの不要な当たり前の普通の生活になることを切に願います。収束したら鳴門市へ皆様お越しくださいませ。本州と四国を結ぶ玄関口の明石海峡大橋、大鳴門橋も開通していて海は奇麗です。鳴門市賀川豊彦記念館の近くには「道の駅」を挟みドイツ館があります。自然も豊かで美味しいもの、山の幸海の幸もあるんですよ。この川西先生の追悼の執筆をさせていただき身に余る光栄に存じます。川西先生のご霊前に心からのご冥福をお祈り致します。

私を形づくる不可欠な要素

㈱フライメディア代表取締役　吉田　美津江

私が川西さんと出会ったのは、天安門事件の翌年の一九九〇年、北京だった。当時私が在籍していたサッポロビールが北京でホテルをオープンすることになり、ホテルの営業担当として、北京に赴任。当時の上司からは、「ともかく北京の駐在員のコミュニティに顔を出して、知り合いを増やしなさい」と言われ、紹介されたのが、当時三洋電機の駐在員であり、早稲田大学の先輩の川西さんだった。当時の私はまだ社会人二年目。駐在員はみな年配で近寄りがたい人ばかりかと思ってお目にかかったのだが、思い描いていたイメージとは川西さんはちょっと違っていた。多分当時の川西さんは、三〇代後半だったのではないかと思う。いつも大きな荷物を抱え、書籍や資料などをたくさん詰め込んでせわしなく動き回っていた。相手の都合などあまりお構いなしで、どんどん人を巻き込んでいく、でも決して憎めない、面倒見のいい方だった。「北京稲門会」「北京水交会」など毎週のように色々な会を主催し、どこからともなく中国の文化人の方をゲストに呼んでくる。ラストエンペラーの弟の愛新覚羅溥傑さん、川島芳子さんの妹の愛新覚羅顕琦さん、中国研究者として著名な竹内実先生などなど、今考えると、よくこんな方々を定期的に集められたと思うが、すべて川西さんの人間的魅力がなせる技だったのだろう。

当時崑崙飯店に住んでいらっしゃって、よく崑崙飯店に呼ばれ、会の打ち合わせをした。当時私の仕事はホテルの営業だったので、会でレストランを度々ご利用いただいていた。この方はいつお仕事をしているんだろうと思うほど、そういった集まりには熱心で、見るからに北京の駐在員生活を満喫しているようだった。

日本に帰国してからも、お付き合いは続き、日本での「北京水交会」の集まりで、よく川西さんから幹事を仰せつかった。子育てと仕事で忙しい時もあったが、川西さんに半ば強制的に駆り出されて参加する会では、普段の生活では出会うことのない方々と交流でき、現在の私を形づくる不可欠な要素となっている。断続的ではあったが、川西さんとはもう三〇年以上のお付き合いだった。

数年前、中国の文化大臣も務めた作家の王蒙さんのアテンドを頼まれた際、川西さんが体調を崩していることを知った。それでも精力的に今後の抱負を語っていた川西さんがこんなに早くこの世を去られるとは思いもよらなかった。川西さんがもし今も生きておられたら、日中学術文化分野での交流で更に大きな力を発揮していただろうと、惜しまれてならない。心からご冥福をお祈りする。

北京駐在時代　右：吉田

あなたのパンを水に浮かべて

川西　里美

　この追想集が出版される頃には、早いもので夫の三回忌を迎えます。「新型コロナ」という言葉を知らないで逝ってしまった夫。百年に一度という大きな出来事の中、アジア・ユーラシア総合研究所では、谷口誠先生が代表理事を担って下さっていて、故桜美林大学佐藤東洋士理事長の後に、新理事長の小池一夫先生が役を受けて下さり、その他の役員の皆様（手弁当で手伝って下さっていると何度も聞いておりました。）にも変わらずお働き頂いております。又、群馬県安中市の宇佐見義尚先生のご自宅の駐車場に川西重忠資料室を建てて頂き、昨年夫の命日にオープンの運びとなりました。

　そして、二〇一八年十二月に開催された企業倫理研究会でのＳＢＩホールディング代表取締役社長の北尾吉孝様の講演内容をブックレットにと夫が望んでおりましたので、テープ起こしを瀧村義実氏に、編集を川成洋先生にお願いし出版出来ました。このように、亡くなった後も研究所が続けられ資料室が開かれるなどたくさんの恵を頂き感謝にたえません。

ただただ悲しいことは、二〇二〇年一〇月一八日に佐藤東洋士理事長が召天なさったことです。神戸社会人大学の学生さん同士の結婚式の場で出会ったと聞いておりますが、桜美林大学へと導いて下さった佐藤理事長の突然の悲しいお知らせには、呆然とし胸が塞がる思いを致しました。私は、佐藤理事長が夫の人格も思いも行動も全て受け止めて下さったからこそ、大学での務めを果すことが出来たと思っています。本当に有り難うございます。どうぞ天上にあって心身共に安らいで、夫と再び会って楽しく会話をして下さいますようにと祈るばかりです。

夫と私は、一九八六年に大阪で出会い、十年後に結婚致しました。その十年の間に、夫は大阪から北京駐在となり帰国後東京での勤務となりました。私は大阪から埼玉へ移り住んでいました。同じ関東に移ったということで縁が繋がったのか結婚に至りました。

旧約聖書の「コヘレトの言葉」の箇所に「あなたのパンを水に浮かべて流すがよい。月日がたってから、それを見いだすだろう。」という聖句があります。その御言葉を夫がつぶやいたのは、私たちが出会って二回目の時でした。私が教会生活を送りながら隣接している幼稚園で働いていたことと、夫が大学時代に聖書研究会や浦和にあります教会に出入りしていたことを思い出したからでしょうか、夫がその御言葉をつぶやき、私はそれとなく聞いていましたが、何故か忘れることなく心に納めておりました。夫の生涯を思うとき、若い頃から学ぶ精神が旺盛で、様々なジャンルに積極的に飛び込んでいったようでした。彼がそこで得たもの（パン）は数限りなく多くありました。そしてそのパンを自分自身だけに取り込まず、大切だと思うことは、一人でも多くの方々（学生さん達に、出版を通して、研究会などを通して）に水に浮かべて流していった。その後夫自身が見いだすことはなくても、夫にとっては世の中に伝えたい気持ちの方が強かったのだと思います。特に病気になってからは、さらに拍車がかかったような働きぶりでした。結婚前につぶやいていたことは、夫自身の事を暗示して私に伝えていたのではと今になって感じております。

十二月に向かう十一月下旬でした。自分の命は来月には難しいと言い始めましたので、「そんなことはないです。大丈夫です」と答えましたら、「自分のことだから良くわかるんだ」と話しておりました。最後の最後まで意識ははっきりしている方でした。十二月五日には河野様が訪問して下さり、研究所のことを話し合う予定でした。大学時代の柔道部のお仲間がご夫妻でお見舞いに訪問して下さることも楽しみにしていましたし、亡くなる当日の夜から弟さんの重美さんが泊まり込んで看病に当って下さるはずでした。兄弟揃っての日々がもう少しあれば良かったと思いつつ、本当は体がつらくて痛みもあったであろうに、身の辛さをあまり口にせず、黙々と眠ったり、夕方空を見ながら遠くに見える富士山が美しいと言ったり、最後の日もリンゴやジュースを食していました。与えられた命を夫らしく生き抜いたと思います。本当に立派でした。

最後になりましたが、学校で、会社で、海外で、大学で、研究所などで、その場その場でたくさんの方々に出会い、たくさんお世話になり交わっていただき、助けていただき、夫は豊かな人生を送ることができました。この誌面を通してですが厚く御礼申し上げます。

コロナとの共存の生活はこれからも続くと思われますが、それでも尚少しでも早くお一人お一人の生活が明るい方へと歩み出されますことを切にお祈り致します。

追記：夫の遺骨は弟重美さんの住まいに近い善照寺のお墓に納められました。

（〒250－0004　神奈川県小田原市浜町2－4－14　TEL 0465-22-4900）

夫のアルバムから

2002. 10. 8

はじめての出版「中国の経済文化」をお祝いして

研究室にもよくお花を置いていました

研究所からたくさんの出版を致しました

学生さん達とのお食事会

お正月は学生さん達をお招きしていました

講義の１コマ

二人の最初の住まい　朝霞市溝沼

桜美林キャンパス

中国（中華人民共和国）小説家　王蒙先生と

ライプチッヒ大学にいた頃のクリスマスカード

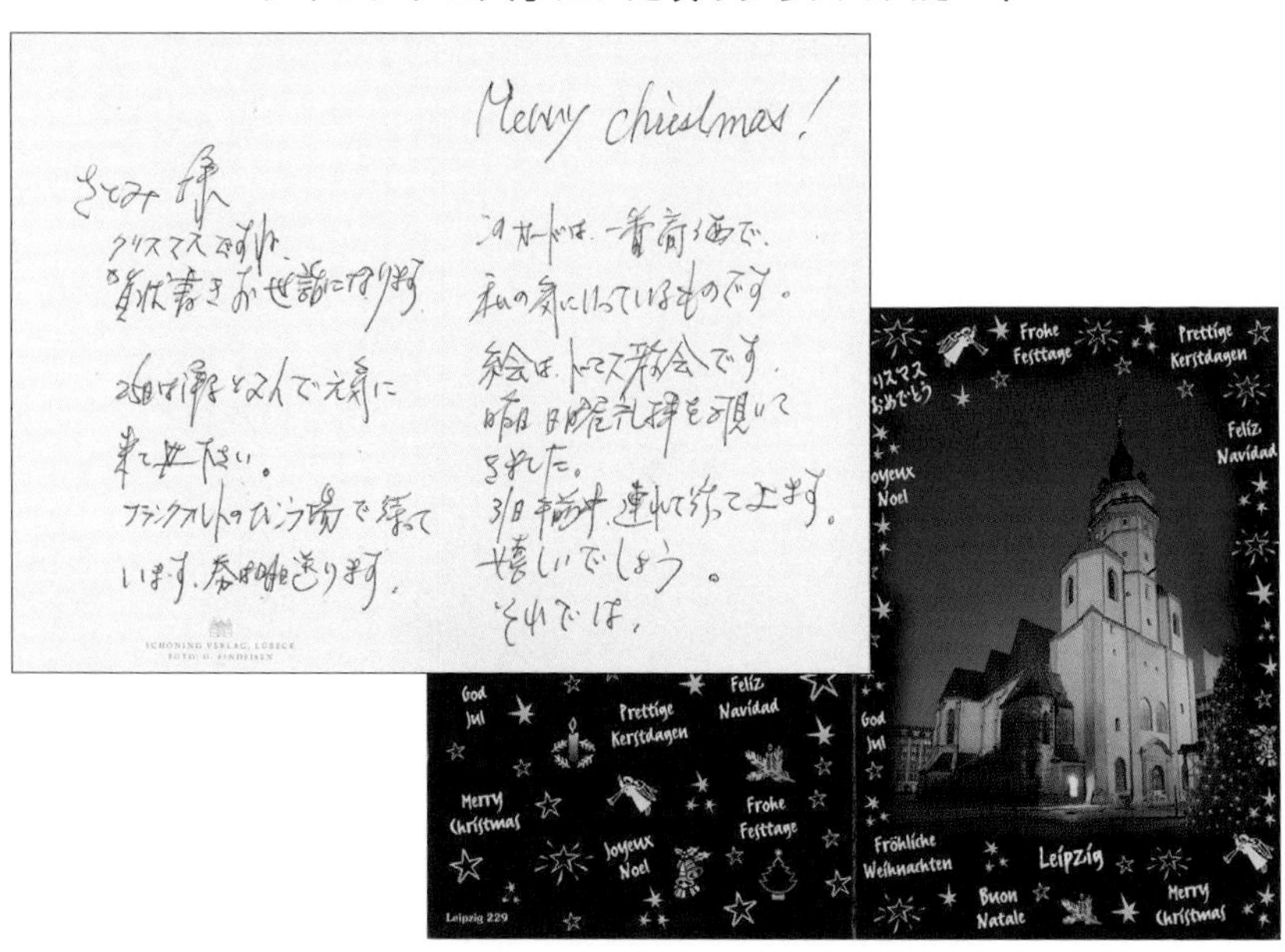
Merry chrisｔmas!

さとみ

クリスマスですね。

お世話になります

26日は御家族2人で元気に

来て下さい。

フランクフルトのひこう場で待って

います。

このカードは一番商店で、

私の気に入っているものです。

絵はトーマス教会です。

昨日日曜礼拝を頂いてきました。

3日午前中連れて行ってよます。

嬉しいでしょう。

それでは、

ライプチッヒの宿舎前

桜美林大学に勤務、初年度の入学式

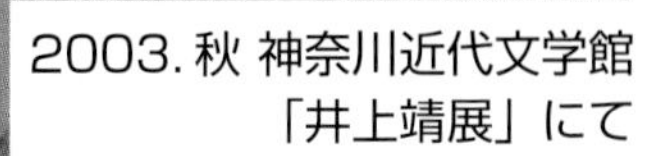
2003. 秋 神奈川近代文学館
「井上靖展」にて

桜美林大学退職時

2019.4　柳瀬川　最後の花見

弔意

川西さんの訃報に接して

国際教養大学名誉教授　勝又　美智雄

二〇一九年の暮れ、川西重忠さんが亡くなったことを聞いて大変に驚きました。年末で仕事が立て込み、通夜、葬儀に伺うことができず、やむなくご遺族宛てにお悔やみの文章を書き送りました。以下はその全文です。

川西さんの訃報に接して、大変驚くとともに、ご家族の皆さまがさぞ、大変だったであろうと思いを馳せ、心からお悔やみを申し上げます。私が川西さんと知り合ったのは十年以上前、ある国際問題研究会の会合で知り合い、年に一、二回、その定例研究会に呼ばれて、定期的に会うようになったときからです。

それに加えて、私の恩師の中嶋嶺雄（元東京外大学長、国際教養大学初代学長）が二〇一三年に急死した後、私がその著作選集全八巻を出版しようと奔走していた時に、川西さんが相談に乗ってくれ、佐藤東洋士桜美林大学理事長の快諾を得て、その出版元として川西さんの研究所から出すことが決まり、川西さんと一段と親密に頻繁に会って、いろいろと話し合ってきました。特に出版企画を進めた二〇一六〜一七年の間はほぼ毎月、何度も会っては、川西さんと私とで選集の内容を詰め、出版の段取りから広報・販売の方策などについても一緒に考え、おかげでほぼ予定通りの刊行ができたのです。

その親交を通して、私が実感していたことは、川西さんがいつも笑顔を絶やさず、中嶋選集を出版するプロジェクトを楽しんで、より良いものをつくるのはどうすべきか、常に前向きに、真摯な姿勢で取り組んでくれたことです。

川西さんは当時、同時並行で自ら企画した念願の河合栄治郎著作選集、賀川豊彦著作選集の刊行も進めていましたが、いずれもその特徴は、今日の日本で不当なまでに軽視されている優れた人物、日本人が誇れる学者・知識人をしっかりと顕彰しようという姿勢で一貫していて、そのすべてを刊行したことに大きな誇りを持っていました。出版事業というのは財政的にもかなり厳しいものですが、自分が世に出したい良書をしっかりと出す、ということに、常に誇りをもって取り組んでいました。しかも、それらをすべて実現できたということは、川西さんが単なる学者ではなく、出版人として、事業家として、実業人として、優れた才能・資質を持っていたことの表れです。

しかも、私が中嶋選集完結後の二〇一七年春に中嶋嶺雄研究会を立ち上げ、三年間の時限方式で年に二回程度の公開フォーラムを開催したい、と考えた時にも、親身になって相談に乗ってくれ、千駄ヶ谷の桜美林大学キャンパスを使えるように手配してくれ、その上、公開フォーラムをアジア・ユーラシア総研との共催にして、集客にも協力して、さらにそのフォーラムの結果を冊子の形でアユ研から刊行する手配までしてくれました。それも川西さん本人が中嶋嶺雄先生を深く尊敬していたからであり、この点でも、中嶋研究会を主宰した私としては、川西さんにいくら感謝しても、しきれないほどの恩を感じております。

最後にお目にかかったのは九月一七日夜のアジア・ユーラシア総合研究所の研究会の時だったと思います。その前二月二四日午後の中嶋嶺雄研究会フォーラムにずっと付き合ってくれていた時に比べて、一段と顔色が白くなって、髪もより白くなり、声にも少し張りがなくなってきていたので、研究会仲間と心配していました。八月にも九月にも「体調は大丈夫ですか」と尋ねると、まったくいつもと変わらずに、にこやかに「大丈夫ですよ」と言葉少なくうなずいていました。

川西さんとは元々、他人に決して愚痴も言わなければ、弱みを見せないで、自分のプライベートなことはほとんど口にしないひとでした。自分のことよりもむしろ相手の健康や仕事ぶりを気遣い、相手を励ますのが常でした。人間の生き方として、優れて気丈で、志を高く持ち、自分のことよりも他人のことを気遣う優しさを持った人であり、その凛とした姿勢を最後まで持ち続けた人なのだ、ということを今更ながらに痛感させられます。

振り返って、川西さんと親しく付き合えたことは、私にとって大事な財産です。同世代（私は昭和二二年生まれです）と言うこともあり、いつも気楽に冗談を言い合い、会えば必ずと言っていいほど、楽しく笑って過ごしていました。

川西さんのご冥福を心からお祈りいたします。

本当にありがとうございました。どうぞ、長い間の疲れを癒して、ゆっくりとお休みください。

葬儀に参列が叶わないので、私的な弔文をお届けいたします。

（グローバル人材育成教育学会会長）

意外な人の心の中に生き続ける

元清水建設㈱シミズ欧州社長　柄戸　正

寒中お見舞い申し上げます。

昨年の秋以降私もご無沙汰いたしておりまして、先生はどうされているかと思っておりました。年が明けて初めて先生がお亡くなりになったことを知り、唖然としております。以前の先生とのお話で、我が家の息子が腎臓病で治療していることを申し上げた際に、先生も同じ病気で入院されたことを知りました。退職されてなお精力的に研究所の仕事を進められていたので、まだまだお元気でご活躍されるものとばかり思っておりました。

これからどんなお仕事をされるのか益々期待が膨らんでいた矢先のことで、私もいまだに気持ちの整理がつきません。

退職後私は自宅を改造してささやかなカフェを営んでおりますことはご承知のとおりです。

毎月家内がやっておりますケーキ教室に、埼玉の春日部から通われているご婦人がおります。この方がドイツのベルリンに住んでいたころ、同じアパートに川西先生がお住まいだったそうです。当時先生はゾルゲの映画に出演されていたそうで、「ある日突然頭を丸刈りにされて現れた」と話されていました。私が先生の研究所から『雲南の流罪僧』を出していただいた時に、発行者がアジア・ユーラシア総合研究所の先生であることを知って、話が及んだものでした。意外な方がいまだに川西先生のことを覚えておられます。

先生は確か鳥取県の出身と記憶しております。二年前には特産の巨大な梨を送っていただいたことが鮮明に思い出されます。前述のケーキ教室に講師で来られている方も鳥取の出身でこれも何かの縁かと思います。

突然のことで家族の皆様もさぞ大変なこととお察し申し上げます。寒さも一番厳しい折ですので奥様におかれましてもくれぐれもご自愛くださいますように。

先生のご冥福を心からお祈り申し上げます。

令和二年一月十四日

日独国際友好交流都市への道

Dr.肥沼の偉業を後世に伝える会代表　塚本　回子

暖冬とは言え寒さ厳しい日々が続いております。

川西先生がお亡くなりになったと言う悲しいお知らせをいただきました。

私は「Dr.肥沼の偉業を後世に伝える会」の代表をしております。

先生には二〇〇五年にNHK文化センターでお話をお聞きして以来、本当に長いことご伝授いただいておりました。まだまだ沢山教えていただくことがありましたのに本当に残念でたまりません。

二〇〇五年には私共がはじめてヴリーツェンを訪問することになり、先生にご一緒してご案内をしていただきました。おかげ様で八王子市とヴリーツェン市が二〇一七年に国際友好交流都市としての締結を結ぶことができ、私共も市長とご一緒に調印式に参列いたしました。

その節には先生から二十万円もの寄付金をお預かりしてヴリーツェン市にお届けしてま

いりました。二〇一七年の九月にDr.肥沼の生家のあった八王子市中町に顕彰碑を建立し、その除幕式にも参列していただきました。

三月八日のDr.肥沼のご命日にはかかさずヴリーツェンにいらして慰霊祭に参列されていた先生、本当にヴリーツェンと八王子との交流を推進する礎を築いて下さいました。

今の私共の活動は先生なくしては始まらなかったと思うと感謝の想いでいっぱいです。温和なお顔でいつも私を「よくやる！」とほめて下さっていました。それが私の励みとなっていました。

秋のある日、先生から鳥取の梨を沢山送っていただきました。お元気の内にご自分でお礼状をお書きになり、皆様にお別れのご挨拶をして下さったのだと思うと涙が止まりません。

奥様にとって今年のお正月はとても寂しいものだったことでしょう。まだまだ雑事が続くと存じますが、くれぐれもお身体をお大事になさって下さいますようお祈り申し上げます。

合掌

令和二年　一月十二日

川西里美様

川西思想の継承を信じる

鳥取県米子市本の学校郁文塾　永井　伸和

寂しい年の瀬を、お迎えのことと存じます。

川西重忠様の突然のご逝去を、十二月八日米子の生んだ世界的な経済学者宇沢弘文の第5回追悼フォーラムにご参加の二人の河合栄治郎を師と仰ぐ方々から知りました。

その夜、ペン画か鉛筆画かの川西先生の温顔と、里美さまの葬儀場への来場の皆様というメッセージのお写真を李海さんがネットで届けて下さいました。

同じ鳥取県生まれの稲門で、何より河合栄治郎を師と仰ぎ、出版活動の相談を受けたり、本の学校の関係で、ドイツ視察をご一緒したり、先生のご主催の会や、組織に参加してまいりました。「河合栄治郎著作選集全五巻」完結記念ブックレットへの寄稿はタイミング悪くお断りしたことが悔やまれます。

中國でドイツでと活躍された国際人であり、河合先生に学んだ理想主義と全人格を通して実践された様々な活動と業績は偉大でした。

ノーベル賞に一番近いと言われ、文化勲章も受賞した経済学者宇沢弘文は過去の栄光を捨て、理想を捨てず、火中の栗を拾う実践を重ねました。私には川西先生の生涯と宇沢弘文のそれが重なるのです。お二人とも大人の風格と風貌がありました。

お二人とも今の時代にこそ必要なお方です。川西先生はまだお若かったことが悔やまれますが、これまでの出版活動によってその思想は継承されていくと信じます。

お別れの席に地元事情で参加できず残念でありお詫びいたします。

略儀ながらここに哀悼の真を捧げ、多年のご指導に深く感謝し、ご冥福を祈ります。

令和元年　十二月二十五日

あとがき

(一財)アジア・ユーラシア総合研究所代表理事／所長　谷口　誠

アジア・ユーラシア総合研究所の発足以来、苦楽を共にしてきた川西先生が亡くなられてから、早や二年近くの月日が経ちますが、この度川西先生の追想集が出版の運びとなったことは、川西先生を知る多くの方々のご協力によるもので、皆様の川西先生への心よりの追悼の気持ちの表れだと感謝いたします。

この追想集の編集にあたり、今更ながら川西先生の人脈の広さといかに多くの人達から親しまれ、慕われておられたかを強く感じました。あれほど元気であった川西先生に先立たれるとは、夢にも思いませんでした。今思えば晩年は少し元気をなくされ、仕事が終わった後、皆と話したり、飲む機会が少なくなりました。でも最後まで研究所には出てきておられ、頑張っておられました。恐らくご自分のお体のことはよく理解しておられ、研究所のために死力を尽くしておられたと思います。私は何となく心配になってきたので、あの年の11月末川西先生の携帯にお電話して、何時ものようにお元気ですか、と話したところ今入院中だとの普段の川西先生らしくない、元気のない声の返事が返ってきました。私は呆然としてお大事にとしかお話し出来ませんでした。これが川西先生との長年にわたる交流の最後になるとは、人生のはかなさを覚えました。

しかし、私は川西先生は七二年の人生を極めて充実した、素晴らしい生き方をされたと思います。残された私たちにとって、この研究所を川西先生の遺志をつぎ、さらに大きく発展させていくことが、川西先生に報いる最大の課題だと確信しています。最後になりましたが、宇佐見義尚先生には、私の恩師板垣與一先生の図書に続き、何よりも大切にしておられた川西先生の図書も、安中市の御自宅の文庫に収めていただいことに、厚く感謝申し上げます。

編集後記

本書の編集は、歴史に残る新型コロナのパンデミックのさ中で行われたことを、まずここに記憶として残したい。本日現在までの累計で二億五千百四十二万四百七十七人の感染者と死亡者が五百七万二千四百四十四人（Our World in Data　最終更新二〇二一年十一月九日）で、なおも世界で感染拡大は続いている。感染の始まりは、ちょうど川西先生が急逝された二〇一九年の十二月の下旬あたりからで、すでに二年が過ぎようとしている。

本書の編集に当たり、なによりも心掛けたことは、いかに川西先生にふさわしい追想の書にするかということ、この一点に尽きる。編集委員会を構成した当初の七人には、それぞれに川西像があり、何が川西先生にふさわしい追想なのか、その具体像はまさに同床異夢にならざるを得ないことは容易に想像できる。それこそが、川西先生が持つ人間的幅の広さであり奥行きの深さに起因することは言うまでもない。

本書に寄せられた七九名の方々が紡ぎだした一文字一文字に宿る言霊が、本書を手にした読者の心に響き長くその心にとどまり続けることができるならば、川西先生への何よりのご供養になり、編集者と編集に惜しみない協力とご支援をくださった多くの方々の労苦はすべて報われることになろう。

本書が、プロの編集者（出版社）を入れずに、本づくりには全くの素人の編集委員によって試行錯誤、悪戦苦闘しながら作り上げたものであることから、数多くの誤りが潜んでいるに違いない。どうか、おおらかにそれをお許しいただけますようお願いして、編集後記としたい。

令和三（二〇二一）年十一月九日

川西重忠追想集編集委員会一同

川西重忠追想集編集委員会（五十音順）

河野善四郎・河上卓実・川成洋・中條英明・高杉暢也・谷口誠

川西重忠略経歴

１９４７年１月　鳥取県にて出生。
１９６２年４月　鳥取県立八頭高校入学。
１９６５年４月　早稲田大学法学部入学。
１９６９年３月　早稲田大学卒業。同大学大学院法学研究科にて２年間研究生活。
１９７１年　日本ＮＣＲ入社。
１９８２年　「葵の会」発足。
１９８３年　河合栄治郎研究会発足。
１９８４年　日本ＮＣＲ退社。三洋電機入社。
１９８７年９月　神戸社会人大学開校。
１９８８年　北京三洋電機（株）副社長として北京勤務（１９９２年まで）。
１９９９年９月　三洋電機（株）退社。
10月　ドイツ・ライプチッヒ大学東亜研究所客員教授就任。

２００１年４月　ドイツ・ベルリン自由大学東アジア研究所客員教授就任。
２００３年４月　桜美林大学大学院客員教授就任。
２００５年４月　桜美林大学大学院教授兼北東アジア総合研究所所長に就任。
２０１１年４月　ベルリン自由大学、モスクワ大学で在外研究（２０１２年３月まで）。
２０１３年２月　河合栄治郎研究会創立30周年記念集会開催。
２０１７年４月　桜美林大学名誉教授就任。
　　　　　　　　一般財団法人アジア・ユーラシア総合研究所設立、所長に就任。
２０１７年10月　ＳＢＩ大学院大学教授就任
２０１８年３月　【賀川豊彦著作選集】完結記念集会を開催。
２０１９年７月　【河合栄治郎著作選集】完結記念集会を開催。
２０１９年12月３日　永眠。（享年72歳）

川西重忠　主要単著、共著・編著、論文

単著

『中国の経済文化―日本とEUからの複眼で見る』エルコ社、2002年。

『断固たる精神　河合栄治郎』桜美林大学北東アジア総合研究所、2013年。

『八王子の野口英世ドクター・コエヌマを知っていますか』北東アジア総合研究所、2016年。

『日独を繋ぐ 肥沼信次の精神と国際交流』（一財）アジア・ユーラシア総合研究所、2017年。

他

共著・編著

『中国情報用語辞典 99年』蒼々社、1999年。

『中国情報ハンドブック』蒼々社、2000年。

『中国情報源 2000年～2001年』蒼々社、2000年。

『中国情報ハンドブック』蒼々社、2001年。

『中国情報源 2002年～2003年』蒼々社、2001年。

『ドイツワーキングホリデー』三修社、2001年。

『日本哲学史フォーラム』昭和堂、2001年。

『教養の思想』社会思想社、2002年。

『中国情報ハンドブック』蒼々社、2002年。

『中国の経済文化』エルコ社、2002年。

『法生活と文明史』未来社、2003年。

『中国情報ハンドブック』蒼々社、2003年。

『戦争装置としての国家』未来社、2004年。

『EUの中の日本の企業と文化』エルコ社、2004年。

『中国情報ハンドブック』蒼々社、2004年。

『司馬遼太郎と日露戦争』北東アジア総合研究所、2008年。

『超大国、中国の行方』北東アジア総合研究所、2010年。

『アジアの精神にみる起業精神』北東アジア総合研究所、2010年。

『北東アジアに激変の兆し』北東アジア総合研究所、2011年。

『中国の近代化』北東アジア総合研究所、2012年。

『モスクワで日ロ関係を学ぶ』北東アジア総合研究所、2013年。

『激動するアジアを往く』北東アジア総合研究所、2013年。

『東京とモスクワ』北東アジア総合研究所、2013年。

『現代版・現代の学生に贈る』北東アジア総合研究所、2011年。

『続・現代学生に贈る』北東アジア総合研究所、2013年。

『新・現代学生に贈る』北東アジア総合研究所、2015年。

『「学生に与う」と現代の学生たち』北東アジア総合研究所、2016年。

『読書のすすめ』北東アジア総合研究所、2017年。

『生涯読書のすすめ』(一財)アジア・ユーラシア総合研究所、2018年。

他

論文

「情報化社会と商業文化」『商業文化研究会』1983年、116－117ページ。

「中日関係と河合栄治郎研究会」『中日関係史研究』1998年、20－30ページ。

「中日両国企業行為与起業家思様式異同」『中日関係史研究』1999年、20－34ページ。

「日中欧企業家の行動様式の違い」『比較思想研究』2001年、30－36ページ。

「中国・EU間の貿易・投資システムの再点検」『日本貿易学会会報』2002年、74－80ページ。

「河合栄治郎研究」『社会人大学出版文学部』1997年。

「大転換の中国電器産業」『中国情報ハンドブック』蒼々社、2002年。

「世界の工場化する中国製造業とWTO加盟」WTO国際シンポジューム、2002年。

「Kampai culture in Japan」『ドイツライフスタイル研究会国際学術会議』2002年。

「The human resorce development in China」『欧亜経営会議』、2002年。

「中国・EU間の貿易投資関係の潮流」『日本貿易学会年報』2003年。

「我的眼中的王蒙」『国際王蒙研究会』、2003年。

「大学と地域社会の接点を求めて」『経済教育学会年度大会』経済教育学会、2003年。

「EUと中国周辺地域の働き」『日中関係学会例会』、2004年。

「EUから見たアジア像」『日中異文化コミュケーション研究会』、2004年。

「北東アジア共同体構想の推進構」『日本貿易学会』、2004年。

他

川西が発行者として出版した書籍リスト

川西は、書籍の出版に対して特別な理念をもって多くの情熱を注ぎ、生前に以下に見る多数の書籍の出版を手掛けた。それは、まさに川西の特異なる一つの業績として、後世に伝えられてしかるべきものであろう。

桜美林大学北東アジア総合研究所

	著者名・編者名	書　名	発行月日
1	竹内実＋関西・編	グローバル化のなか	2006.09
2	大西義久著	現代中国の実相	2007.03
3	ウランビレグ著	チンギスハンの兵法…	2007.06
4	祁景瀅著	インターネットから見た中国の対外言論	2007.09
5	藤村幸義著	中国デスク日記	2007.10
6	司馬遼太郎と編	司馬遼太郎と日露戦争	2008.02
7	日中関係学会編	日中関係の新しい地平	2008.07
8	「企業倫理儒教倫理」・編	経営トップに学ぶ	2009.07
9	竹内実著	竹内実（中国論）自選集一	2009.07
10	竹内実著	竹内実（中国論）自選集二	2009.09
11	竹内実著	竹内実（中国論）自選集三	2009.09
12	劉震雲著　劉燕子訳	ケータイ	2009.09
13	関西・関東日中編	超大国、中国の行方	2010.03
14	大木野昇司著	大転換期の中国環境戦略	2010.07
15	川西重忠（代表）	アジアの精神にみる企業精神	2010.07
16	満豪研究・編	満豪の新しい地平線	2010.07
17	坂の上の雲特集	日露戦争を世界はどうみたか	2010.07
18	北京外大・桜美林連携	大平正芳からいま学ぶこと	2010.12
19	大阪能率協会編	北東アジアに激変の兆し	2011.01
20	関西・関東日中編	上海万博と中国のゆくえ	2011.01
21	河合栄治郎研究会編	現代版・現代の学生に贈る	2011.02
22	闞瑜	新しい中島敦像	2011.03
23	国際アジア共同体学会編	東アジア共同体…	2011.03
24	北東アジア研究・編	アジア太平洋時代に…	2011.03
25	町田市・桜美林・編	東アジア共同体とは何か	2011.03
26	関西・神戸社会人編	中国の近代化	2012.08
27	佐々木壱咲著	〝核〟という重い扉	2012.12
28	渡辺祥子著	魚と風とそしてサーシャ	2013.01

	著者名・編者名	書　名	発行月日
29	河合栄治郎研究会編	続現代の学生に贈る	2013.02
30	川西重忠編著	モスクワで日ロ関係を学ぶ	2013.02
31	中谷彪著	塩尻公明評伝	2013.02
32	中谷彪他編	或る遺書について	2013.02
33	川西重忠著	断乎たる精神河合栄治郎	2013.03
34	京都大学東アジア‥他	激動するアジアを往く	2013.03
35	松井慎一郎編	赤城山日記	2013.03
36	川西重忠著	断乎たる精神河合栄治郎	2013.05
37	河合栄治郎著	復刊　学生に与う	2013.06
38	関西・神戸社会人編	勃興するアジアとに日中関係	2013.07
39	杉本勝則著	フクシマ発未来行き特急	2013.07
40	孫旭培著	中国における報道の自由	2013.07
41	日ロ関係研究編	東京とモスクワ	2013.07
42	野尻武敏米寿記念編	経済社会学の新しい地平	2013.07
43	高井潔司・西茹著	新聞ジャーナリズム論	2013.09
44	竹内実著	変わる中国変わらぬ中国	2013.10
45	佐々木壱咲著	潮目－海水淡水化物語	2013.10
46	袴田茂樹著	世のおきてに叛いて	2014.01
47	河合栄治郎著	現代版学生に与う	2014.02
48	関西・神戸社会人編	現代中国の諸問題と…	2014.07
49	李　海著	日本亡命期の梁啓超	2014.07
50	はらだおさむ著	徒然中国	2014.11
51	江暉著	中国人の「日本イメージ」の形成過程	2014.12
52	岩崎宇雄著	時代を読むマーケテイング戦略	2015.01
53	中谷彪著	きけわだつみのこえ」木村久夫…	2015.02
54	森山優子著	新渡戸稲造一人と思想	2015.03
55	河合栄治郎研究会編	新・現代の学生に贈る	2015.05
56	魏則能著	中国儒教の貞操観	2015.05
57	中谷彪著	木村久夫遺稿の研究	2015.06
58	平野英雄著	学徒戦犯たちのスガモ…	2015.06
59	藤村幸義著	どこに向かう習近平体制	2015.06
60	柏木理佳著	日本の社外取締役制度	2015.10
61	日高敏夫著	ベトナムに魅せられて	2015.11
62	堀内弘司著	中国で生きる和僑たち	2015.11
63	川西重忠他編著	「学生に与う」現代と学生たち	2016.02
64	佐々木幹雄	韓国の焼物の恩に報いた日本人	2016.02
65	福澤啓臣著	チェルノブイリ 30 年と	2016.02
66	青木育志著	哲学問題入門	2016.03
67	関西・神戸社会人編	チャイナドリームと日中関係	2016.03
68	小河内敏朗	変わらざる合衆国と変わ…	2016.07
69	許南整著	混迷する日韓関係を打開せよ	2016.07

	著者名・編者名	書　名	発行月日
70	中谷彪著	戦没学徒木村久夫の遺書	2016.07
71	木全ミツ他編	こんな生き方女性100名山	2016.09
72	匂坂ゆり著	今蘇る幕末の日ロ外交史	2016.09
73	匂坂ゆり著	川路聖護とプチャーチン	2016.09
74	川西重忠著	八王子の野口英世ドクター・コエヌマを…	2016.12
75	張鴻鵬著	遠藤三郎の人と思想	2016.12
76	卜著	日本植民地時代の朝鮮経済	2016.12
77	青木俊一郎著	朱鎔基総理の時代	2017.02
78	河合栄治郎研究会編	読書のすすめ	2017.02
79	西谷英昭著	教師を生きる	2017.02
80	行安茂著	戦後71年の回顧とイギリス…	2017.02
81	中嶋ゼミの会他編	素顔の中嶋嶺雄（追想録）	2015.07
82	中嶋嶺雄著作	現代中国像の原点（第1巻）	2015.04
83	中嶋嶺雄著作	逆説の文化大革命（2巻）	2016.03
84	中嶋嶺雄著作	裏切られた民主主義（第3巻）	2016.09
85	中嶋嶺雄著作	北京・モスクワ秘史（第4巻）	2015.04
86	中嶋嶺雄著作	香港・台湾への視座（第5巻）	2015.11
87	中嶋嶺雄著作	国際関係論と地域研究（第6巻）	2016.05
88	中嶋嶺雄著作	大学教育革命（第7巻）	2015.06
89	中嶋嶺雄著作	教養と人生（第8巻）	2016.11

（一財）アジア・ユーラシア総合研究所

	著者名・編者名	書　名	発行月日
90	高杉暢他著	隣の国はパートナーになれるか	2017.09
91	青木育志他	青木篙山堂	2017.09
92	川西重忠著	肥沼信次の精神と国際交流	2017.10
93	青木俊一郎著	朱鎔基総理の時代（増補改訂版）	2017.10
94	辻井喬・堤清二研究会	辻井喬	2017.11
95	王蒙著	王蒙先生「論語」語る	2017.11
96	賀川豊彦選集	一粒の麦他（第3巻）	2017.11
97	賀川豊彦選集	死線を超えて(上・中）第1巻	2017.12
98	賀川豊彦選集	死線を超えて（下）他第2巻	2018.01
99	賀川豊彦選集	キリスト兄弟愛と経済改造（第4巻）	2018.01
100	賀川豊彦選集	賀川豊彦随筆集（第5巻）	2017.12
101	川西重忠編著	生涯読書のすすめ	2018.02
102	中谷彪	現代に生きる塩尻公明と木村久夫	2018.02
103	柄戸　正	雲南の流罪僧	2018.05
104	河合栄治郎	河合栄治郎から塩尻公	2018.07

	著者名・編者名	書　名	発行月日
105	青木俊一郎	朱鎔基総理の時代（２刷）	2018.07
106	青木俊一郎	中国文化漫談	20180.8
107	中嶋嶺雄研究会	グローバル人材その育成と教育革命	2018.09
108	井尾秀憲	福澤が夢見たアジア	2018.01
109	行安茂	河合栄治郎の思想形成と	2018.11
110		河合栄治郎第１巻	2018.11
111		河合栄治郎第４巻	2019.02
112		河合栄治郎第５巻	2019.02
113		河合栄治郎第３巻	2019.4.5
114		河合栄治郎第２巻	2019.5.21
115		河合栄治郎別巻	2019.07
116	青木育志	日本道徳の構造	2019.9.30
117		ブックレット①アユ研フォーラム	2019.7.15
118		ブックレット②河合栄治郎	2019.7.27
119		ブックレット③中嶋嶺雄	2020.1.30
120		ブックレット④日韓研究プロジェクト	2020.4.
121		ブックレット⑤企業倫理研究会	2021.2.5

現代日本社会に問う
躍動する教育者
——川西重忠追想——

2021年12月3日　初版第1刷発行

編　集　川西重忠追想集編集委員会
発行者　谷口　誠
発行所　一般財団法人 アジア・ユーラシア総合研究所
〒151-0051　東京都渋谷区千駄ヶ谷1-1-12
Tel・Fax：03-5413-8912
E-mail: ayusoken2021@gmail.com
印刷所　株式会社厚徳社

2021 Printed in Japan
ISBN978-4-909663-37-5